유아 연산의 기준

칸토의 연산

50까지의 수에서
더하기·빼기 1, 2, 10

머리말

"취학 전 우리 아이가 해야 할 수학은?"

아이를 키우는 부모님이라면 하나같이 우리 아이가 수학을 좋아하고 잘했으면 하는 바람일 것입니다. 수학에 대한 안 좋은 기억이 있으신 부모님들이라면 더더욱 걱정과 조바심 속에 초등학교 가기 훨씬 전부터 아이에게 여러 문제집을 풀게 하며 수학에 많은 시간을 사용합니다. 지금까지 아이가 푼 문제집을 쌓아 올리며 부모님 스스로가 뿌듯해 하기도 합니다.

그런데 아이가 수학을 잘하기 위해 초등학교 입학 전에 해야 할 가장 중요한 것은 무엇일까요?

수학에 관심을 갖고 수학에 재미를 느끼는 것입니다.

그러나 현실은 그렇지 않습니다. 아이들은 방대한 양의 반복된 문제를 풀며 가장 중요한 목표인 재미로부터 멀찌감치 떨어져 출발하게 됩니다. 첫 단추가 잘못 끼워지니 그 이후의 단추들도 제대로 끼워지기 어렵습니다. 아이가 처음 숫자를 보고 읽고 수를 셀 때의 희망찬 모습에서 어느덧 수 앞에만 서면 작아지는 아이의 모습으로 부모님의 새로운 걱정은 시작됩니다. 이를 바로잡으려 부모님께서 다시 힘을 내보려 하지만 너무 오래된 수학이 낯설고 멀게만 느껴집니다.

「칸토의 연산」은 아이에게는 아이의 시선에 맞게 문제의 형태와 양을 재미있게 구성하여 즐거운 시간이 될 수 있게 하였고, 부모님께는 아이를 가까이서 직접 지도할 수 있는 학습 가이드(칸토 쌤)를 제공하여 최고의 선생님이 될 수 있게 하였습니다.

수학을 잘하기 위해서는 한 문제를 끝까지 풀기 위한 노력과 끈기도 필요합니다. 하지만 수학을 잘하기 위해 지금 부모님께서 해야 할 일은 아이에게 수학에 대한 좋은 첫인상을 심어주는 것입니다. 문제 푸는 것을 어려워한다면 과감히 다음 기회로 넘기고 기다려주세요. 첫 만남이 나쁘지 않았던 우리 아이는 다시금 수학을 찾고 수학과 더 깊은 관계로 발전해 나갈 수 있을 거예요.

유아 연산 비법

"초등 입학 전 연산 딱 4가지만 알고 가요."

취학 전 우리 아이가 반드시 학습해야 할 연산 주제 4가지를 제시합니다.

수 세기(1~50)

[수 세기 방법 4가지]

① 앞으로 세기 1, 2, 3, 4, 5, ……
② 거꾸로 세기 10, 9, 8, 7, ……
③ 이어 세기 5, 6, 7, 8, 9, ……
④ 묶어 세기 2, 4, 6, 8, 10, ……
(뛰어 세기)

수를 세는 과정에는 덧셈과 뺄셈의 원리가 숨어 있어요. 실생활 소재(음식, 물건, 계단)와 수 세기 모형(주사위, 수직선, 계란판)을 이용하여 반복하여 연습해 주세요. 아이의 수·연산 감각을 발달시킬 수 있는 출발점입니다.

수 계열(1~50)

[50까지의 수 배열표]

1 큰 수 →
10 큰 수 ↓

1	2	3	4	5	6	7	8	9	10
11	12	13	14	15	16	17	18	19	20
21	22	23	24	25	26	27	28	29	30
31	32	33	34	35	36	37	38	39	40
41	42	43	44	45	46	47	48	49	50

10 작은 수 ↑
← 1 작은 수

50까지의 수 배열표를 관찰하며 수의 구성과 각 수들 간의 관계를 파악하고 50까지의 수를 익혀요. 수 배열표를 머릿속으로 그릴 수 있어야 해요.

[모으기]

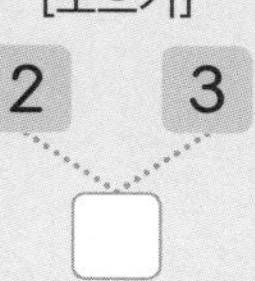

[가르기]

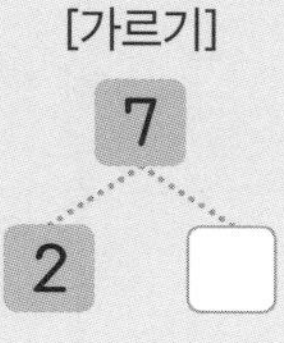

9까지의 수를 모으고 가르는 활동은 덧셈, 뺄셈의 기초이며 핵심 원리예요.
손가락뿐만 아니라 생활 속 다양한 구체물을 활용하여 반복적으로 연습해 보세요.

모으기·가르기(1~9)

[동적 상황의 덧셈·뺄셈]

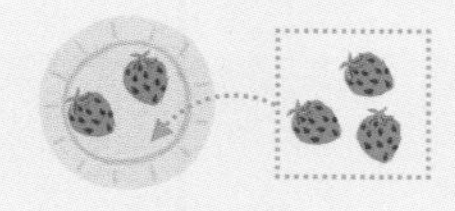

$2+3=\square$ $\quad$ $7-2=\square$

덧셈, 뺄셈은 동적인 상황(첨가, 제거)과 정적인 상황(합병, 비교) 2가지가 있어요. 이것을 잘 이해하면 덧셈·뺄셈 문장제 문제를 해결하는 데 큰 도움이 돼요.

덧셈·뺄셈(0~9)

단계별 구성

유아/3단계

단계	권	주제
5세	1	1부터 5까지의 수
	2	6부터 9까지의 수
	3	1부터 9까지의 수
	4	덧셈과 뺄셈의 기초
6세	1	0부터 10까지의 수
	2	10까지의 수에서 더하기·빼기 1
	3	20까지의 수에서 더하기·빼기 1, 10
	4	20까지의 수에서 더하기·빼기 1, 2, 10
7세	1	합이 9까지의 덧셈
	2	9까지의 뺄셈과 덧셈·뺄셈
	3	50까지의 수에서 더하기·빼기 1, 2, 10
	4	받아올림·내림 없는 (두 자리 수±한 자리 수)

초등/6단계

단계	권	주제
초1	1	덧셈구구
	2	뺄셈구구
	3	편리한 계산 전략
	4	100까지의 수, 받아올림·내림 없는 (두 자리 수±두 자리 수)
초2	1	받아올림·내림 있는 (두 자리 수±한 자리 수)
	2	받아올림·내림 있는 (두 자리 수±두 자리 수)
	3	곱셈의 기초와 곱셈구구(1)
	4	곱셈구구(2)
초3	1	받아올림·내림 있는 (세 자리 수±세 자리 수)
	2	나눗셈구구
	3	(세 자리 수×한 자리 수), (두 자리 수×두 자리 수)
	4	분수와 소수의 기초
초4	1	큰 수
	2	곱셈과 나눗셈
	3	분모가 같은 분수의 덧셈과 뺄셈
	4	소수의 덧셈과 뺄셈
초5	1	자연수의 혼합 계산
	2	약수와 배수, 약분과 통분
	3	분모가 다른 분수의 덧셈과 뺄셈
	4	분수의 곱셈, 소수의 곱셈
초6	1	분수의 나눗셈
	2	소수의 나눗셈
	3	비와 비율
	4	비례식과 비례배분

칸토의 연산 시리즈

(9단계, 총 36권)

- 연산의 원리부터 재미있는 퍼즐형 문제까지 다루는 기본 난이도의 연산 교재
- 나선형 반복 학습과 확장 커리큘럼
- [칸토의 연산] ➡ [응용 연산]으로 이어지는 기본·심화 연산 학습 설계
- 단계별 4권, 9단계 총 36권 구성
- 한 단계 4개월 완성
- 학년별 교과서 진도와 맞춤 병행

칸토

이 책의 구성과 특징

- 하루 2쪽, 매주 5일씩 4주 동안 완성하는 연산 프로그램이에요.
- 연령별 아이의 학습 눈높이와 학습 체력에 맞게 쉬운 난이도와 하루 10분 정도의 학습 분량으로 구성하였어요.
- 선생님과 같은 실력으로 아이를 지도할 수 있게 「칸토 쌤」 코너에 알찬 학습 가이드를 수록하였어요.

1 학습 안내 • 무엇을 공부할까요?

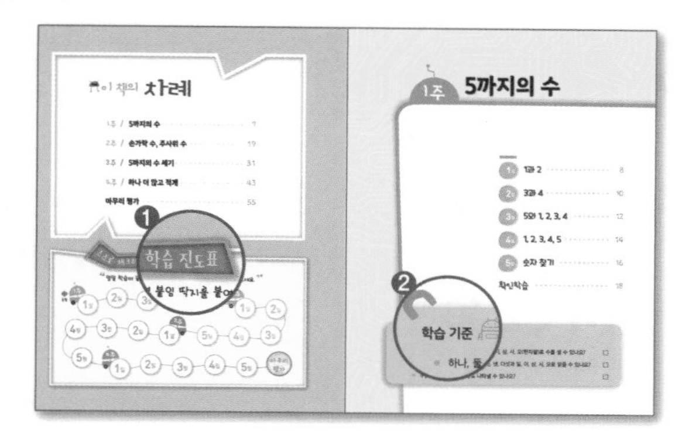

❶ 붙임 딱지를 붙여 학습 진도를 체크해요.

❷ 이번 주에 꼭 알아야 할 학습 기준을 체크해요.
공부 전에 간단히 살펴보고, 한 주 공부가 끝나면 반드시 확인해 보세요.

2 일일 학습 • 매주 5일씩 4주 동안 공부해요.

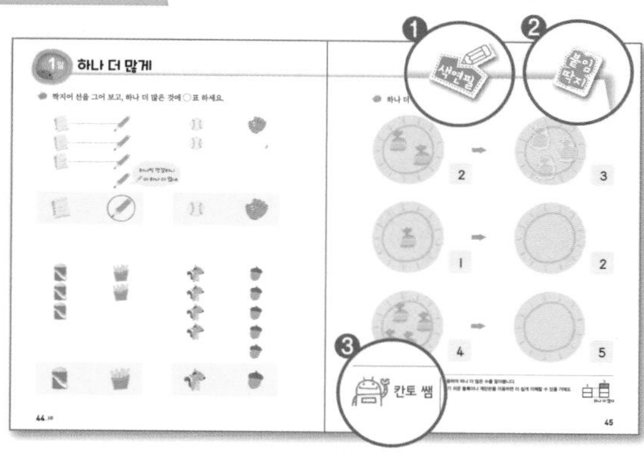

❶ 색연필을 사용하는 활동이에요.

❷ 붙임 딱지를 붙이는 활동이에요.

❸ 연산의 개념, 원리, 활용뿐만 아니라 아이의 학습 심리 상태를 파악할 수 있는 학습 가이드를 꼭 참고하세요.

3 확인 학습 • 이번주 배운 내용을 잘 알고 있나요?

4 마무리 평가 • 4주 동안 배운 내용을 잘 알고 있나요?

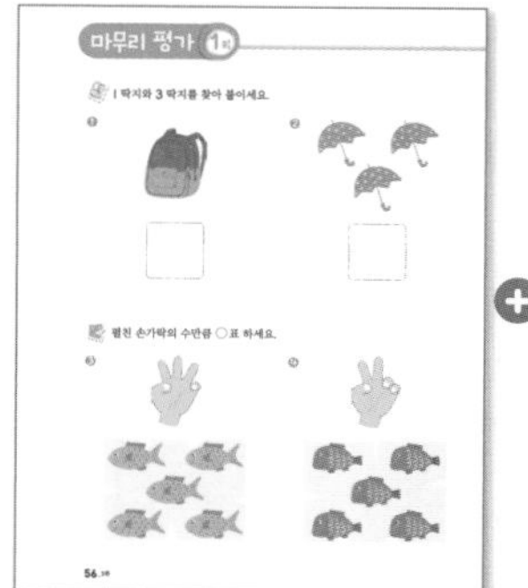

이 책의 차례

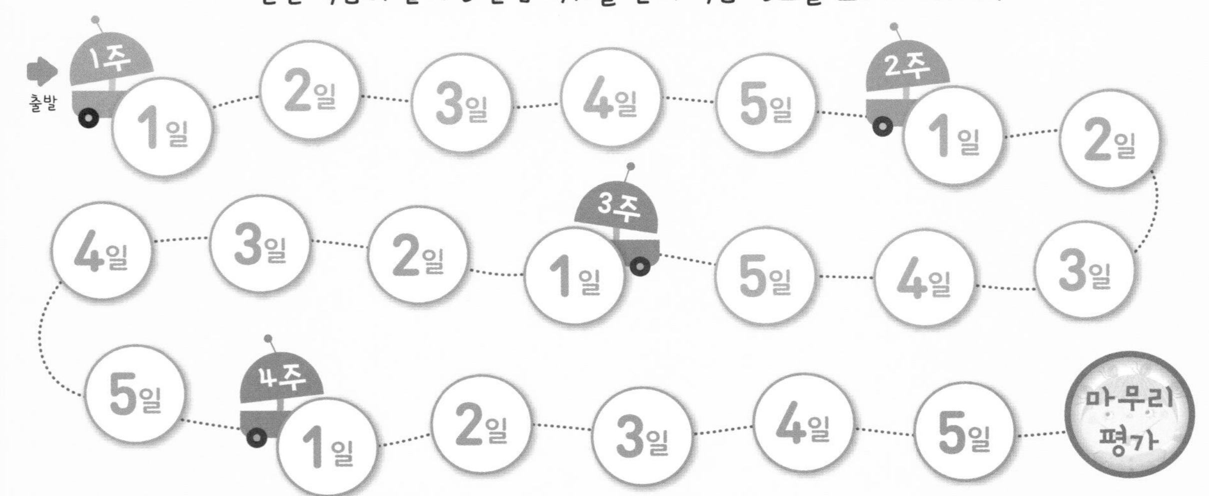

스스로 체크하는 학습 진도표
"일일 학습이 끝나면 붙임 딱지를 붙여 학습 진도를 표시해 보세요."
출발
1주
1일
2일
3일
4일
5일
2주
1일
2일
3일
4일
5일
3주
1일
2일
3일
4일
5일
4주
1일
2일
3일
4일
5일
마무리 평가

1주 50까지의 수

학습 기준

- 몇십과 몇십몇을 알 수 있나요? □
- 10씩 묶어 50까지의 수를 셀 수 있나요? □
- 동전의 금액을 셀 수 있나요? □
- 50까지의 수 배열표에서 빠진 수를 알 수 있나요? □

몇십

블록의 수를 세어 쓰고, 2가지 방법으로 수를 읽어 보세요.

10개씩 묶음	낱개
3	0

→ 30

삼십·서른

10개씩 묶음	낱개

→ ☐

이십·스물

10개씩 묶음	낱개

→ ☐

사십·마흔

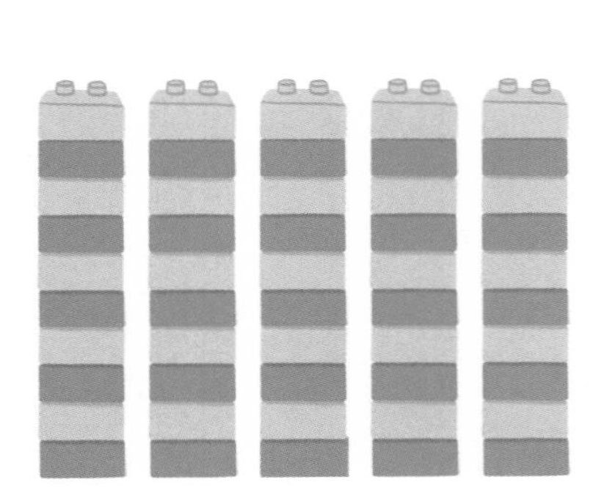

10개씩 묶음	낱개

→ ☐

오십·쉰

주어진 수만큼 색칠하세요.

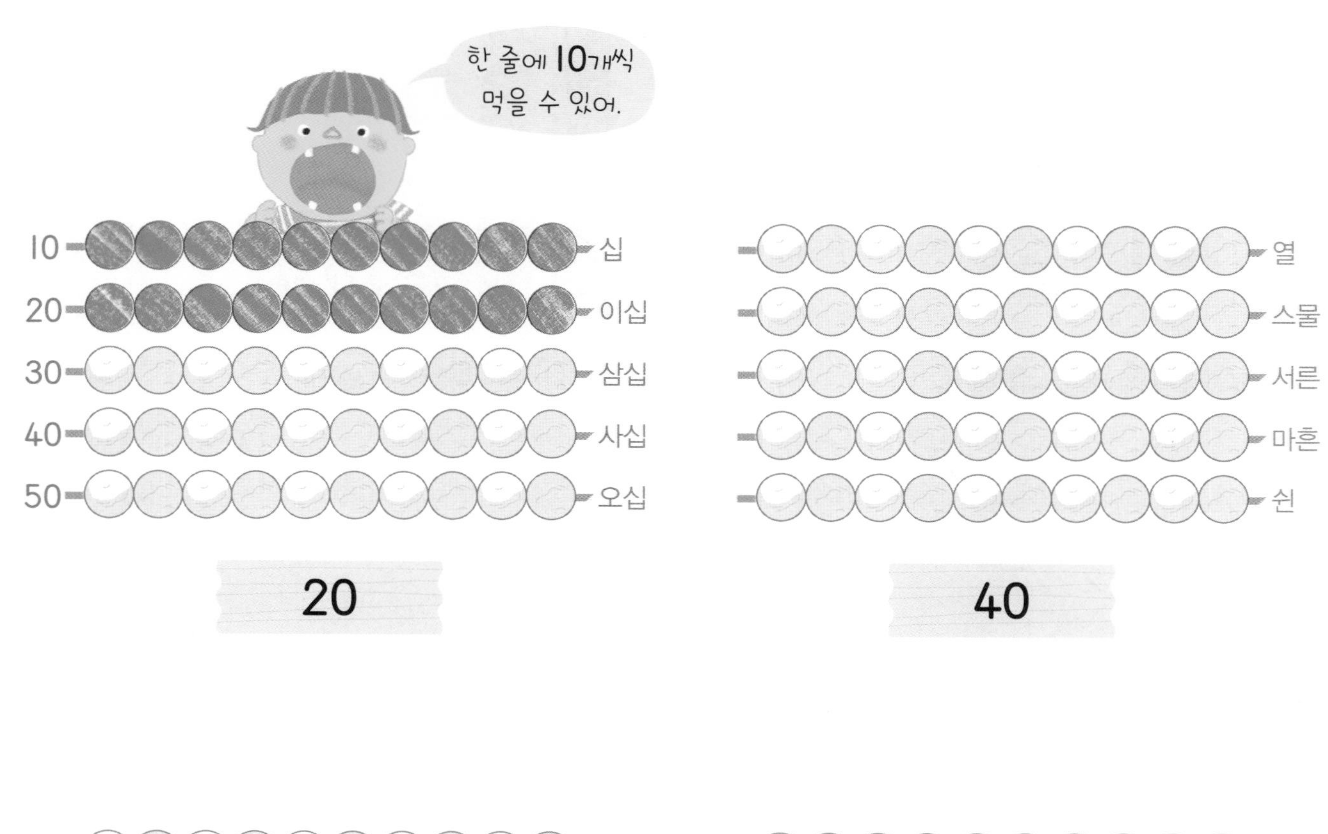

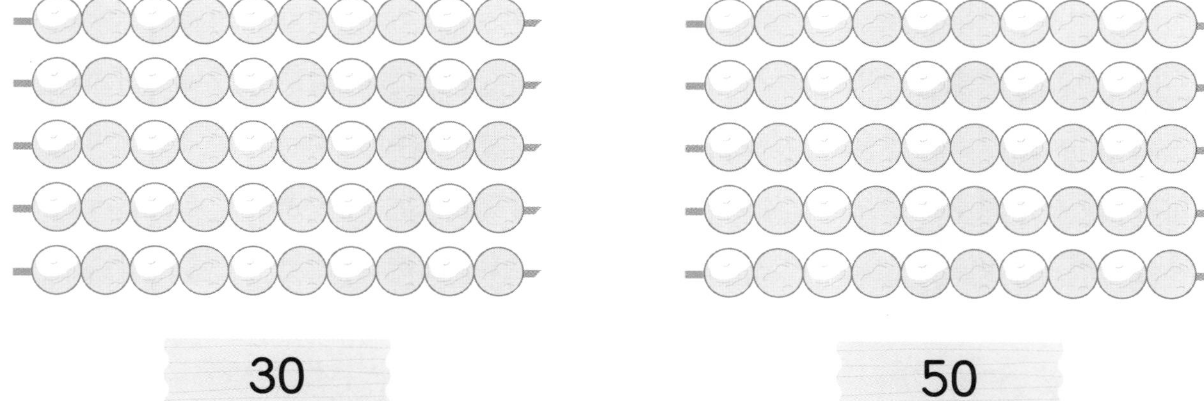

칸토 쌤 10개씩 묶음의 수를 세어 몇십을 알아보는 활동이에요. 먼저 아이가 구체물의 수를 어떻게 간단히 나타낼 수 있는지 이야기해 보세요. 손가락을 이용하거나 숫자를 이용하는 등 다양한 답이 나와요. 10개씩 묶음의 수는 왼쪽에, 낱개의 수는 오른쪽에 써서 나타내고 몇십은 낱개가 없으므로 0을 쓴다는 것을 알려주세요.

몇십몇

블록의 수를 세어 쓰고, 2가지 방법으로 수를 읽어 보세요.

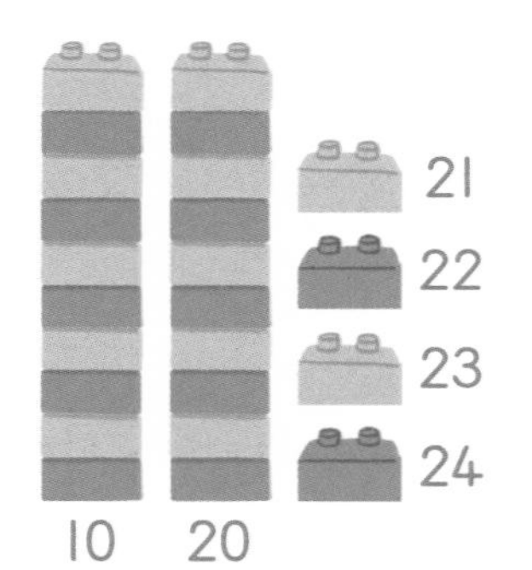

10개씩 묶음	낱개
2	4

➡ 24

이십사·스물넷

숫자 2는 20을 나타내.

10개씩 묶음	낱개

➡ ☐

사십삼·마흔셋

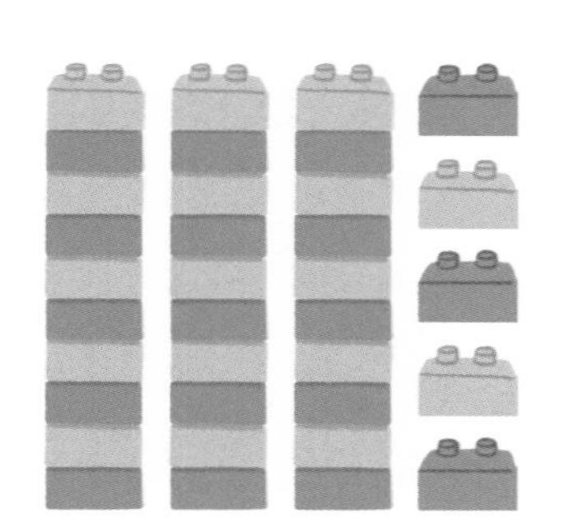

10개씩 묶음	낱개

➡ ☐

삼십오·서른다섯

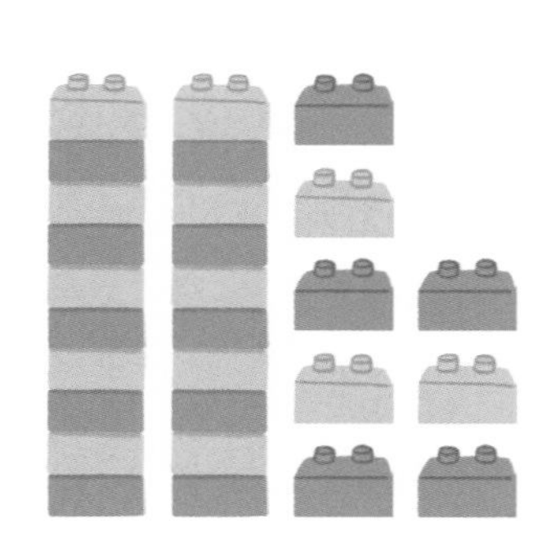

10개씩 묶음	낱개

➡ ☐

이십팔·스물여덟

구슬의 수를 세어 보세요.

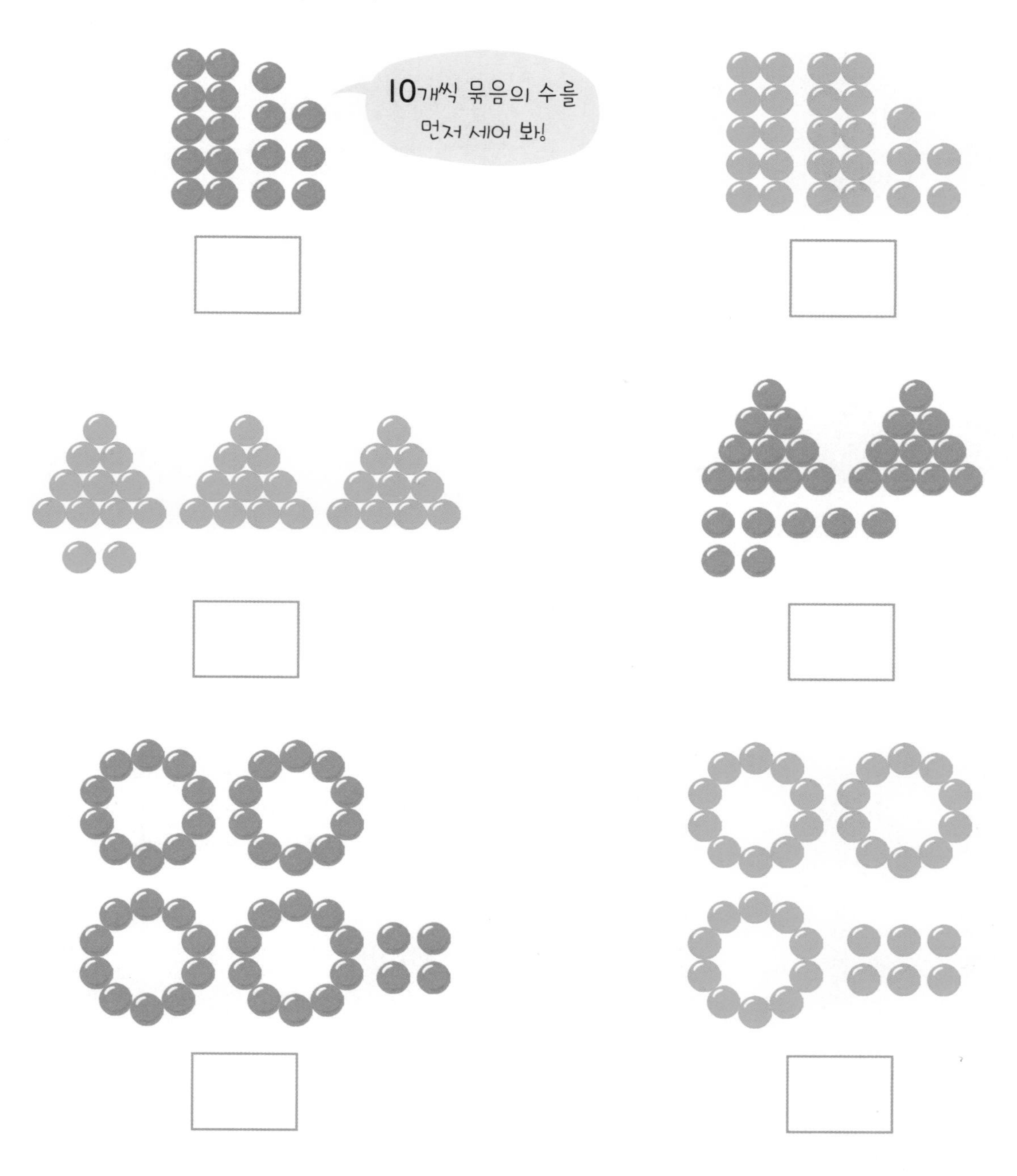

칸토 쌤

수에 익숙하지 않은 아이들은 듣고, 말하는 대로 수를 쓰는 경향이 있어요. 몇십몇은 2개의 숫자로 왼쪽부터 써서 나타낸다는 것을 알려주세요.

203? 23? 이십삼

3일 몇 개일까요

10개씩 묶어 수를 세어 보세요. 보석은 모두 몇 개일까요?

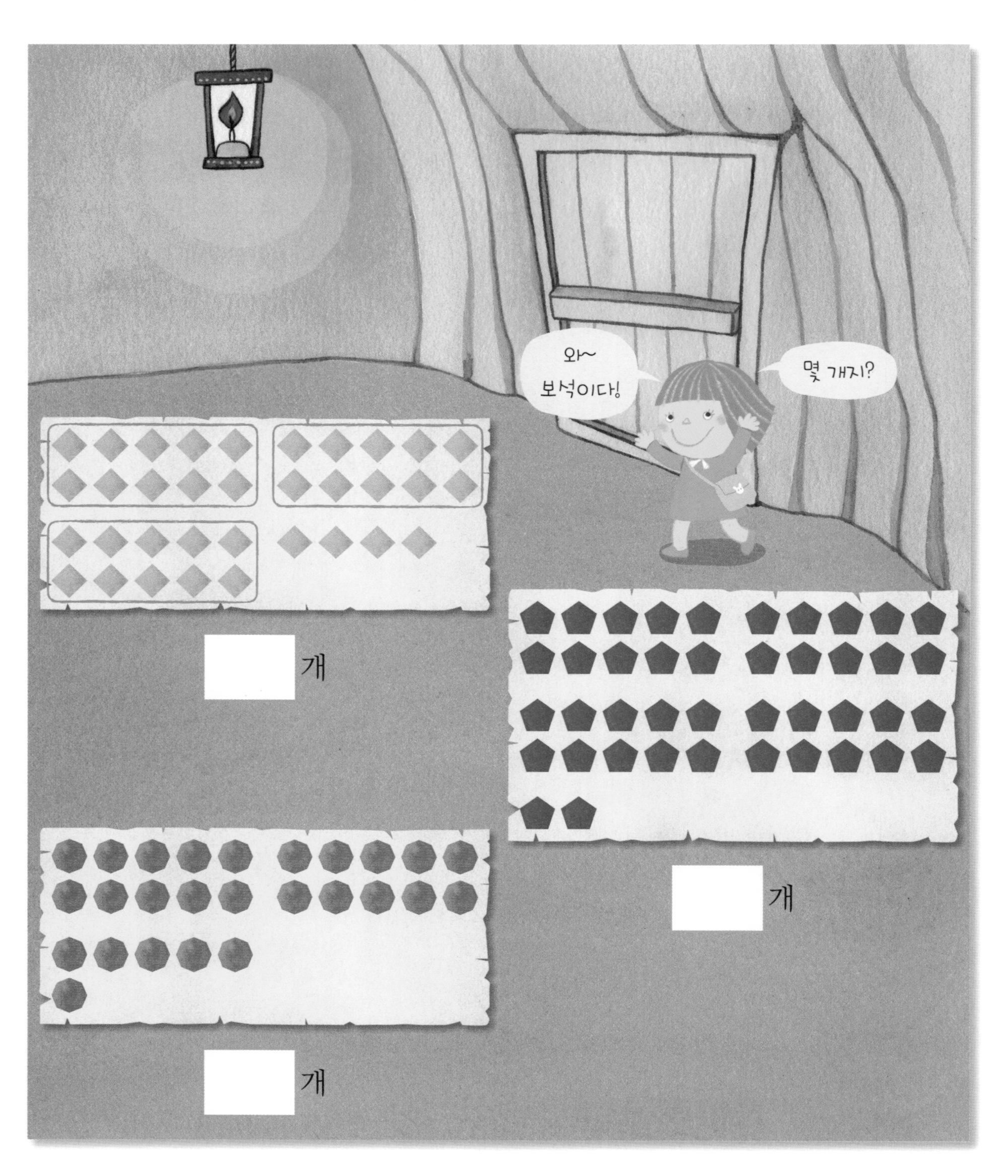

10개씩 묶어 과자의 수를 세어 보세요.

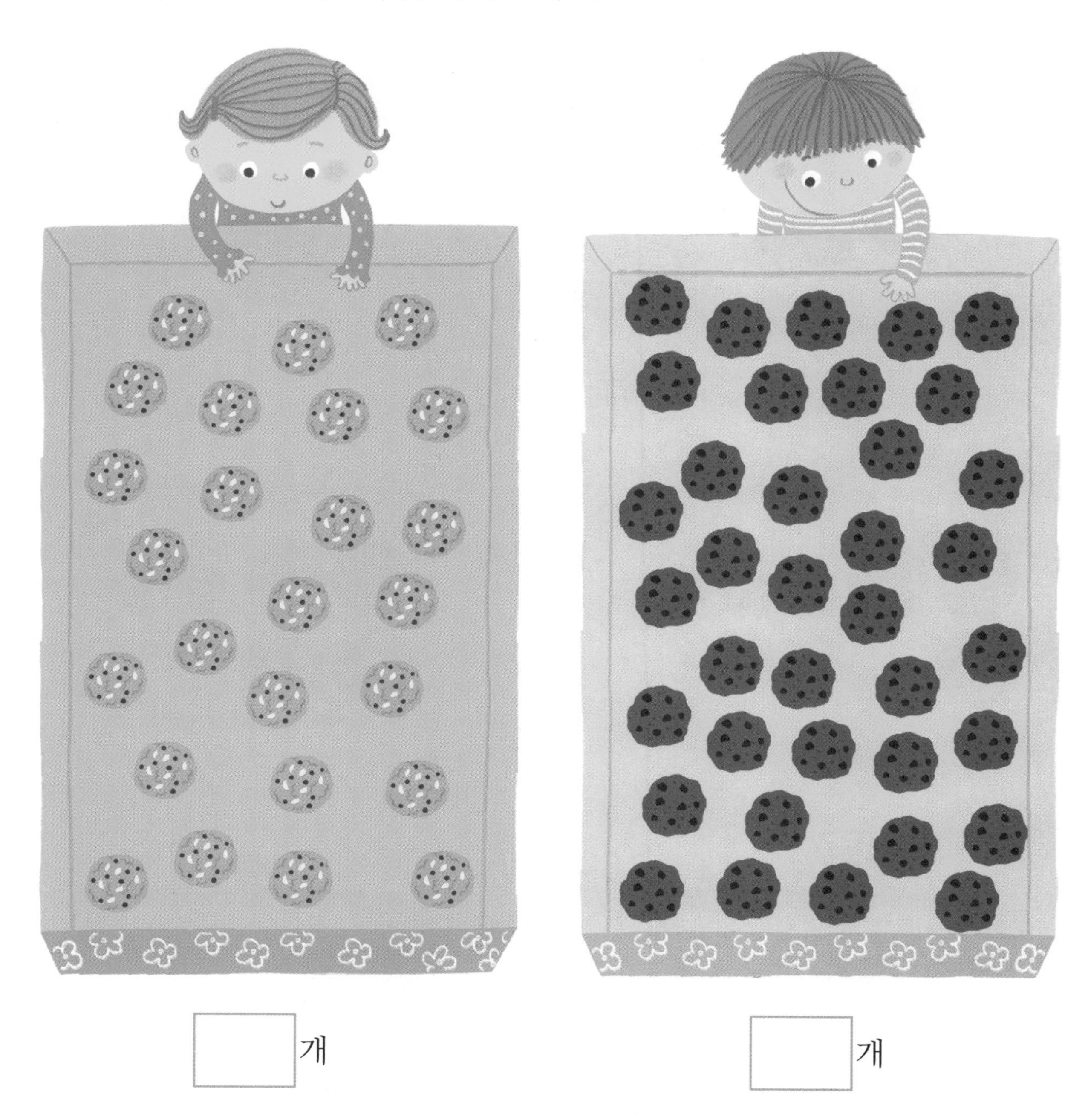

☐개　　☐개

칸토 쌤

10개씩 묶어 세기를 통하여 몇십몇을 알아보는 활동이에요. 낱개가 10개 모이면 큰 자리로 나아간다는 십진법의 기초를 쌓으며 수의 구조를 생각해 볼 수 있어요. 장난감, 사탕 등을 이용하여 반복하여 수 세기 연습을 해 주세요. 2개씩, 5개씩 묶어 세는 아이도 있지만 10개씩 세는 것이 편리하다는 것을 깨닫게 될 거예요.

얼마일까요

지갑에 들어 있는 돈은 얼마일까요?

10원짜리 동전의 수는 10개씩 묶음의 수

1원짜리 동전의 수는 낱개의 수

[14] 원

[ ] 원

[ ] 원

[ ] 원

[ ] 원

금액만큼 동전 딱지를 붙이세요.

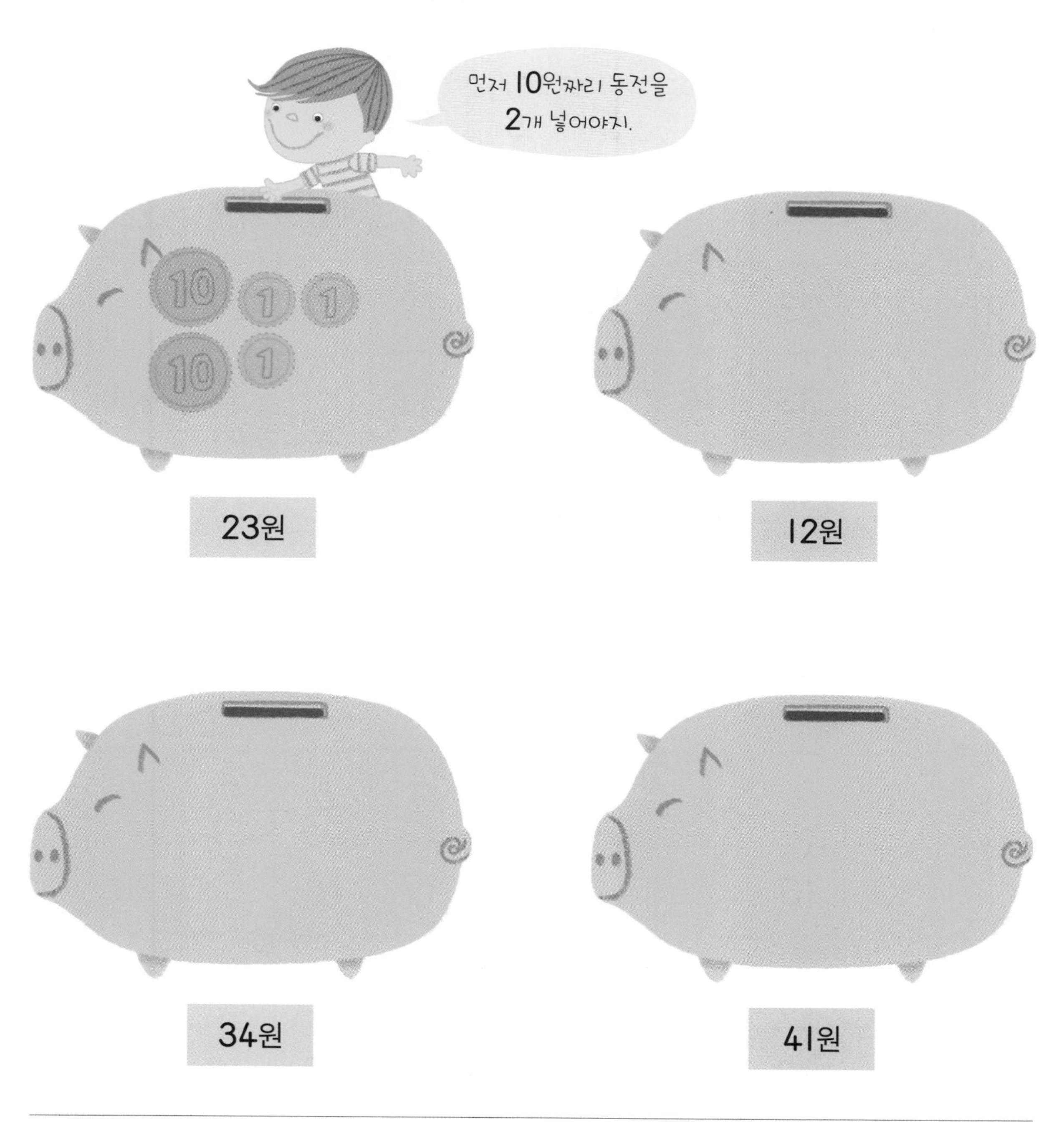

칸토 쌤

10묶음 1개를 10원짜리 동전 1개로 바꾸어 몇십몇을 알아보는 활동이에요. 10원짜리 동전 1개가 1원짜리 동전 10개와 같다는 것을 아이는 쉽게 받아들이기 어려워요. 더 큰 수로 나아가기 위한 추상화 과정이므로 동전 모형을 가지고 반복하여 연습해 주세요.

⑩
⬇⬆
①①①①①
①①①①①

50까지의 수 배열표

순서에 맞게 빈칸에 알맞은 수를 쓰세요.

1씩 커져요 →

10씩 커져요 ↓

1	2	3	4	5	6	7	8	9	10
11	12				16	17	18	19	20
21	22	23	24	25	26	27		29	
		33	34	35	36	37		39	40
		43	44	45	46	47		49	50

사물함이
열려 있네.

몇 번이지?

← 1씩 작아져요

10씩 작아져요 ↑

1	2		4	5	6	7	8	9	10
	12	13				17	18		20
21	22	23		25	26	27	28	29	30
31	32	33		35	36		38	39	40
41	42	43	44	45	46			49	

수 배열표의 일부분이에요. 빈칸에 알맞은 수를 쓰세요.

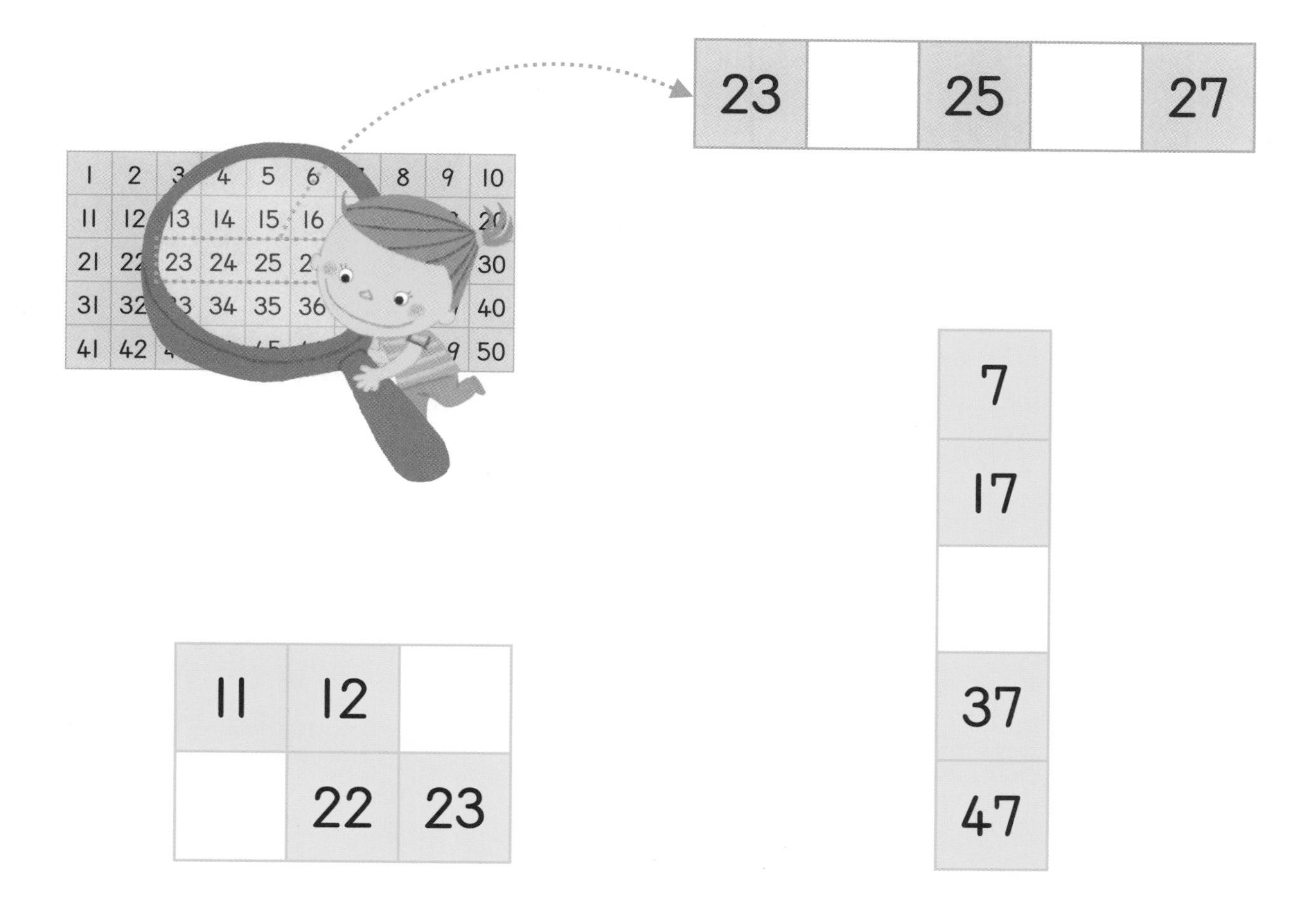

23		25		27

7
17
37
47

11	12	
	22	23

32	33	34	35		37	
	43	44			47	48

칸토 쌤

50까지의 수 배열표의 규칙을 찾고 이를 이용하여 빈칸을 채우는 활동이에요. 수 배열표는 수의 계열과 구조를 한눈에 파악할 수 있게 해 주고, 덧셈과 뺄셈 공부도 할 수 있어 연산 학습에 매우 유용한 도구예요. 아이와 수 배열표를 오려 퍼즐 맞추기를 해 보며 50까지의 수를 익혀 보세요.

23	24	25
33	34	

	26
35	36

확인학습

구슬의 개수와 동전의 금액을 각각 쓰세요.

☐개　　☐원

수 배열표의 일부분이에요. 빈칸에 알맞은 수를 쓰세요.

23	24
	34
43	

	28	29	30
	38		

➡ 7쪽으로 돌아가 1주 차 학습 기준을 달성했는지 체크해 보세요.

2주 수의 순서와 뛰어 세기

학습 기준

- 50까지의 수를 앞으로 셀 수 있나요? ☐
- 50까지의 수를 2씩, 10씩 앞으로 뛰어 셀 수 있나요? ☐
- 50까지의 수를 거꾸로 셀 수 있나요? ☐
- 50까지의 수를 2씩, 10씩 거꾸로 뛰어 셀 수 있나요? ☐
- 규칙을 찾아 뛰어 세기를 할 수 있나요? ☐

앞으로 세기

수를 순서대로 세어 빈칸에 알맞은 수를 쓰세요.

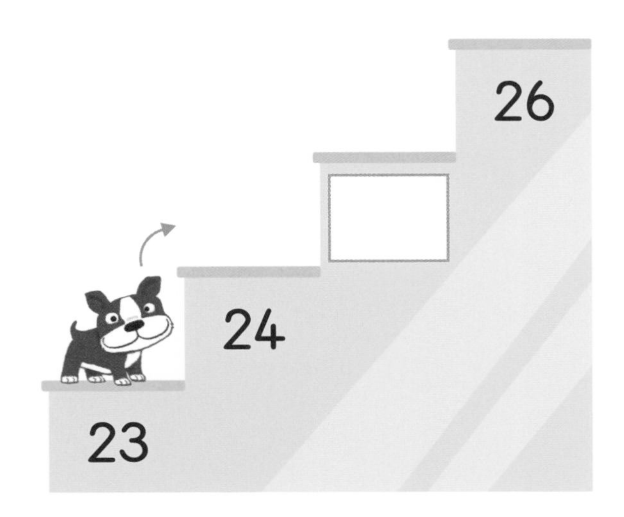

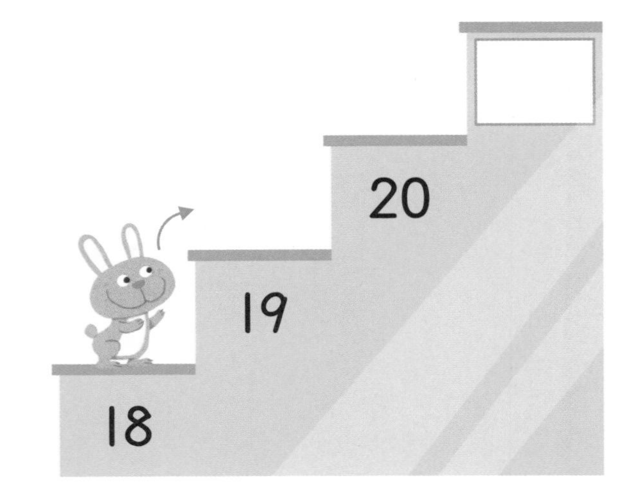

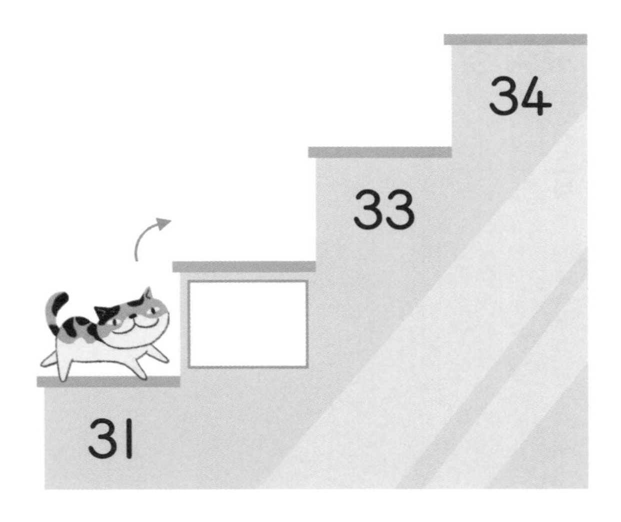

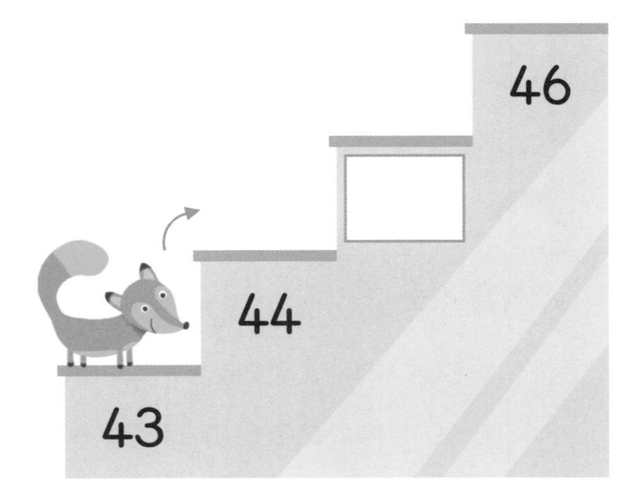

1부터 50까지 순서대로 선을 이으세요.

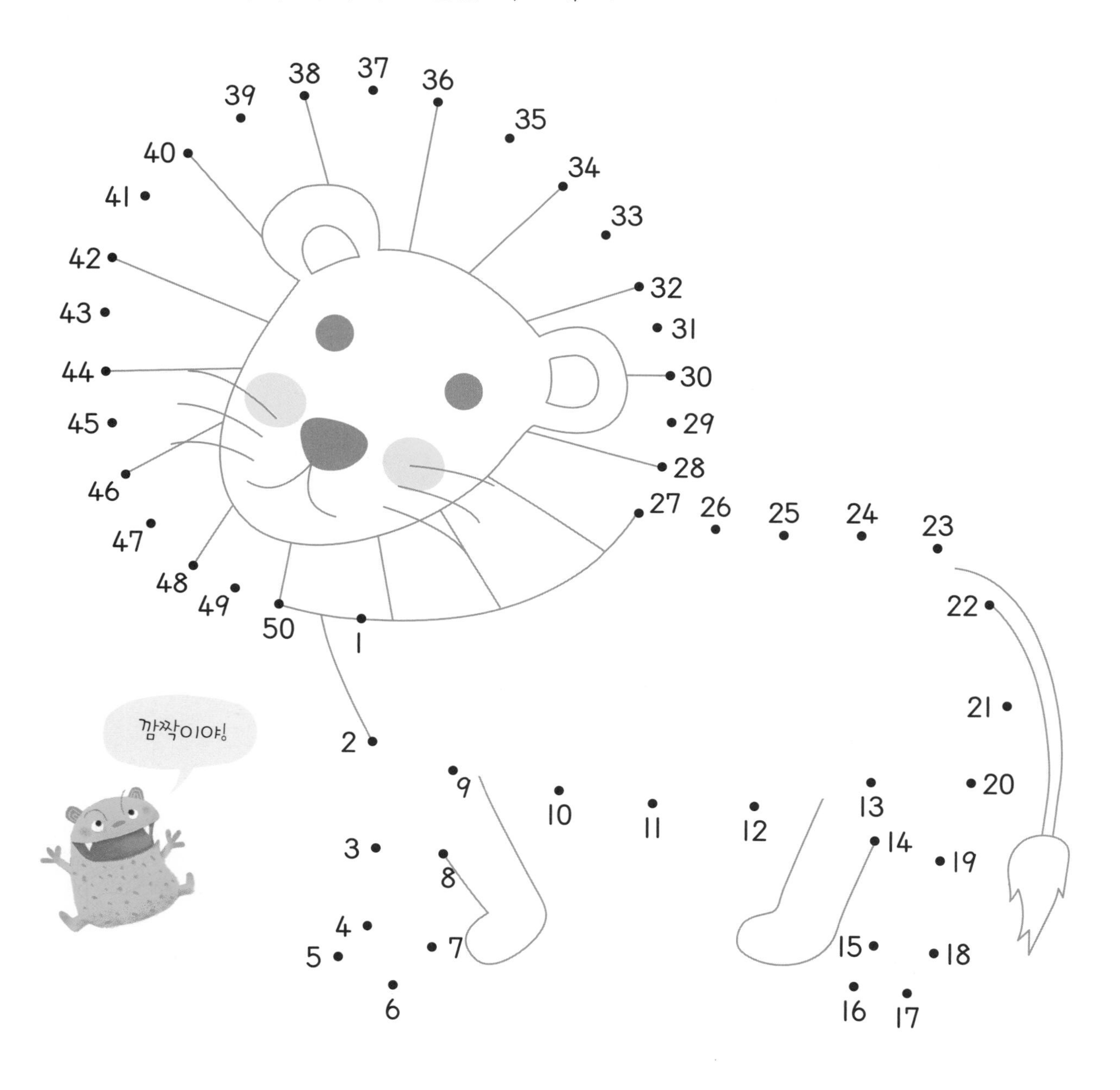

칸토 쌤

1부터 50까지 수를 차례로 세어 보며 수의 순서를 익힙니다. 아이와 번갈아 가며 차례로 수 말하기 게임을 해 보세요.

2일 차에서는 더 어려운 2씩, 10씩 앞으로 뛰어 세기를 하므로 이어 세기를 자연스럽게 할 수 있을 정도로 연습해 주세요.

2일 2씩 앞으로, 10씩 앞으로

색칠한 수에서 2씩 앞으로 뛰어 센 수에 모두 ◯표 하세요.

22	23	24	25	26	27	28	29	30	31

35	36	37	38	39	40	41	42	43	44

16	17	18	19	20	21	22	23	24	25

색칠한 수에서 10씩 앞으로 뛰어 센 수에 모두 ◯표 하세요.

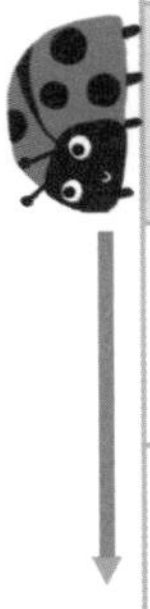

6	7
16	17
26	27
36	37
46	47

3	4
13	14
23	24
33	34
43	44

9	10
19	20
29	30
39	40
49	50

2씩 또는 10씩 앞으로 뛰어 센 수를 빈 곳에 쓰세요.

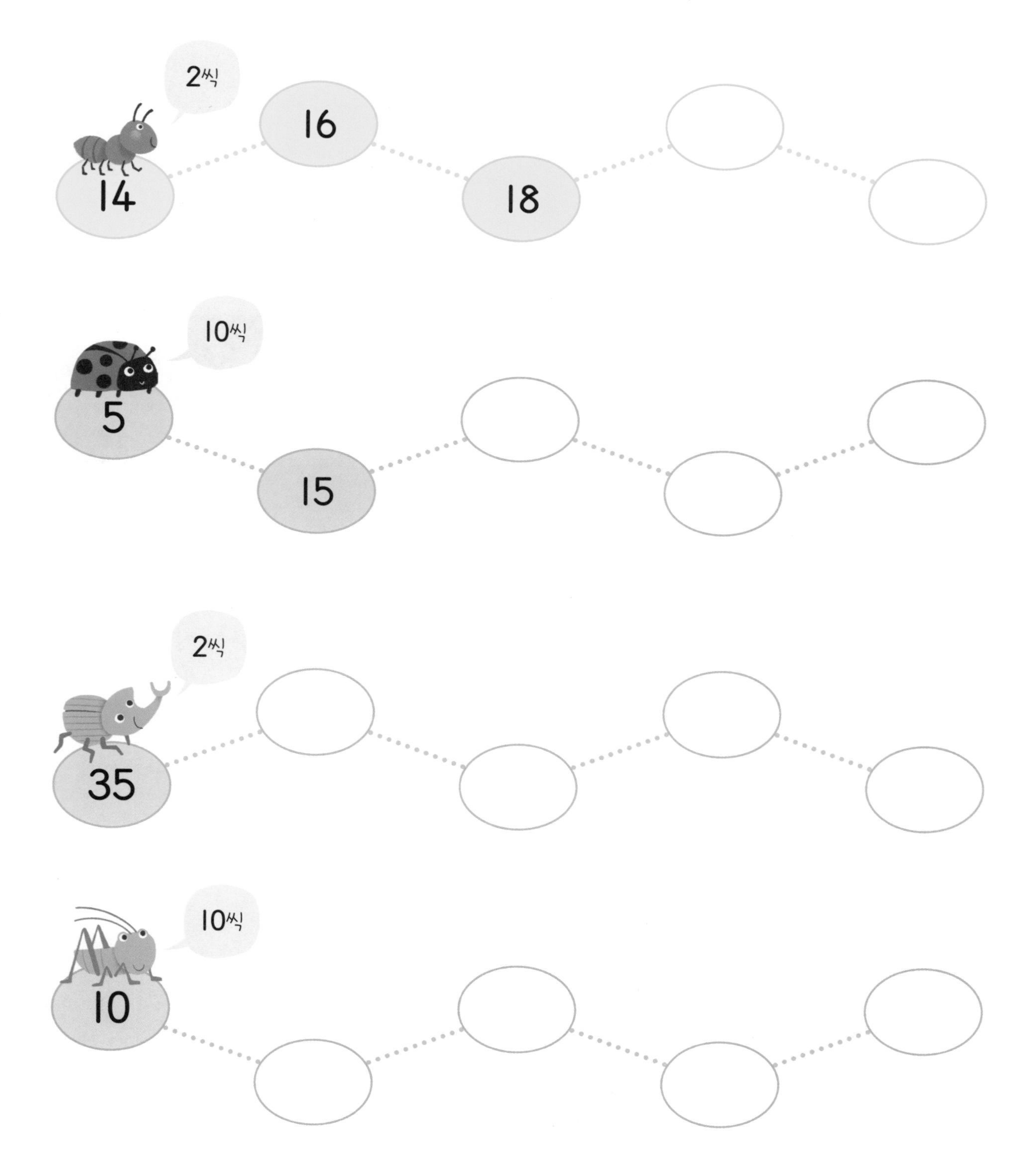

거꾸로 세기

수를 거꾸로 세어 빈칸에 알맞은 수를 쓰세요.

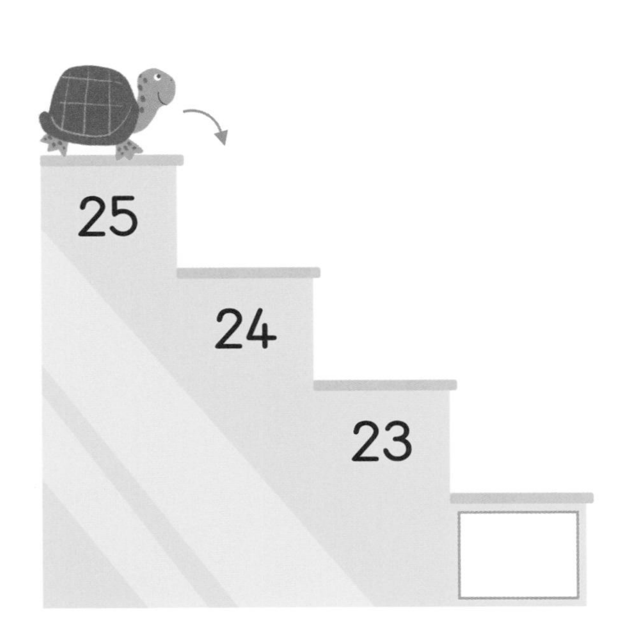

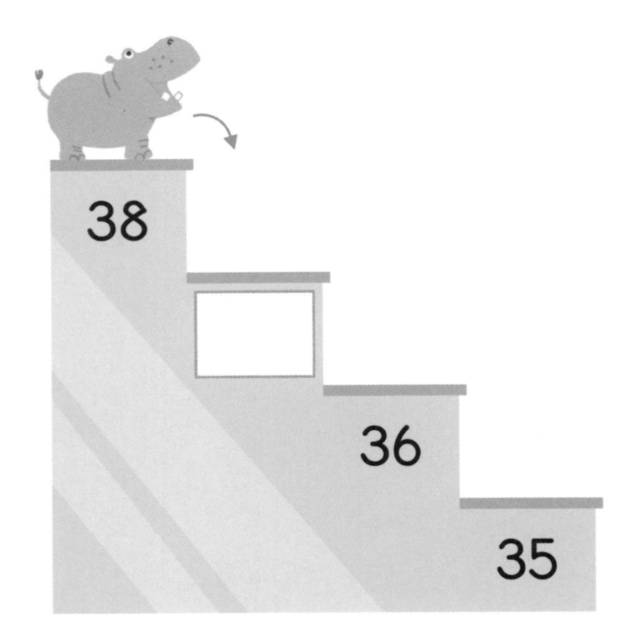

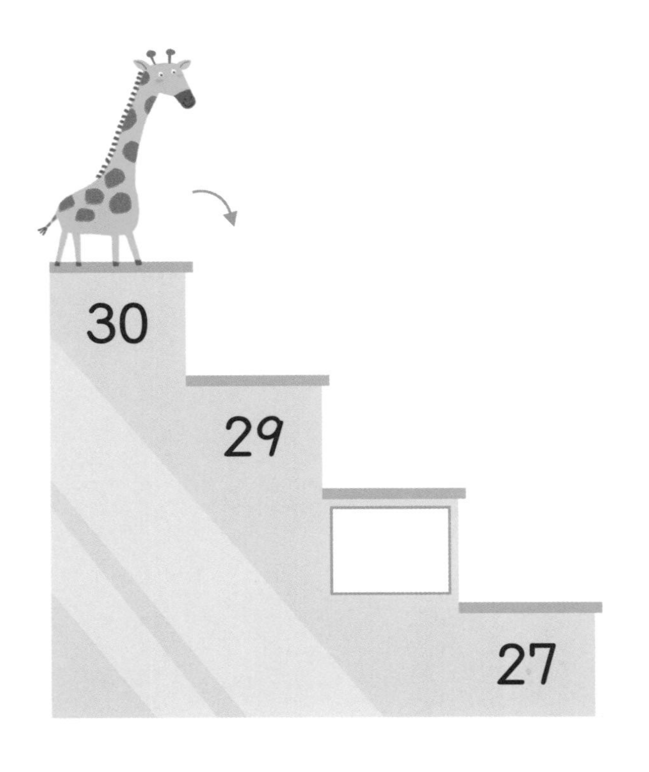

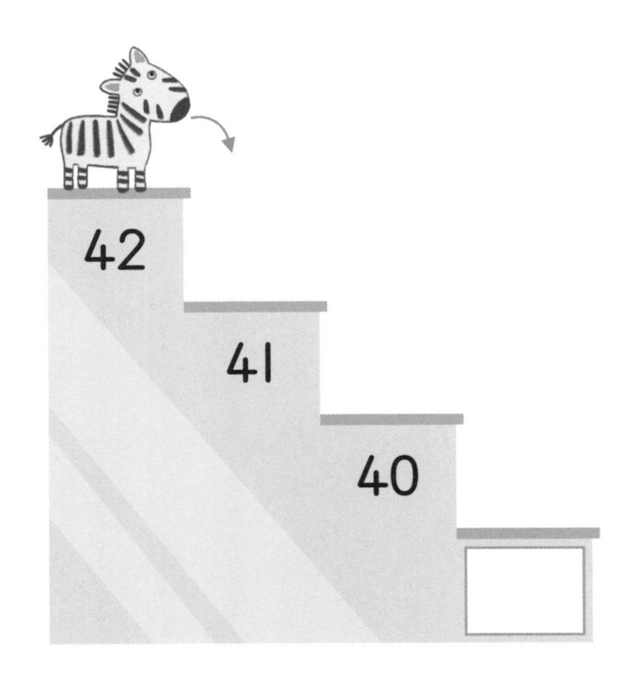

수를 거꾸로 세어 미로를 빠져 나가세요.

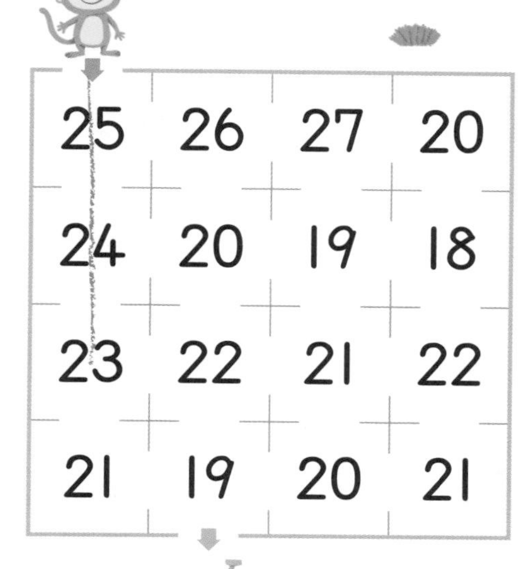

31	30	27	26
26	29	28	29
25	26	27	25
24	23	21	23

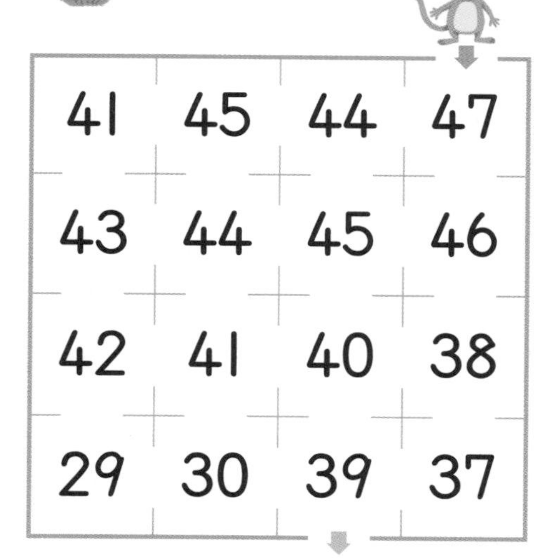

35	37	38	36
34	36	39	40
32	35	34	30
34	31	33	32

칸토 쌤

50부터 1까지 수를 거꾸로 세어 보며 50까지의 수를 익힙니다. 앞으로 세기에 익숙한 아이들이 거꾸로 세기를 어려워하는 건 당연해요. 요리를 할 때나 횡단보도를 건널 때 등 생활 속에서 아이와 소리 내어 수를 거꾸로 세기 연습을 해 주세요.

30, 29, 28, 27, ...

2씩 거꾸로, 10씩 거꾸로

색칠한 수에서 2씩 거꾸로 뛰어 센 수에 모두 ○표 하세요.

(16)	17	(18)	19	(20)	21	22	23	24	25

30	31	32	33	34	35	36	37	38	39

25	26	27	28	29	30	31	32	33	34

색칠한 수에서 10씩 거꾸로 뛰어 센 수에 모두 ○표 하세요.

2	3
12	13
22	23
32	33
42	43

7	8
17	18
27	28
37	38
47	48

5	6
15	16
25	26
35	36
45	46

2씩 또는 10씩 거꾸로 뛰어 센 수를 빈칸에 쓰세요.

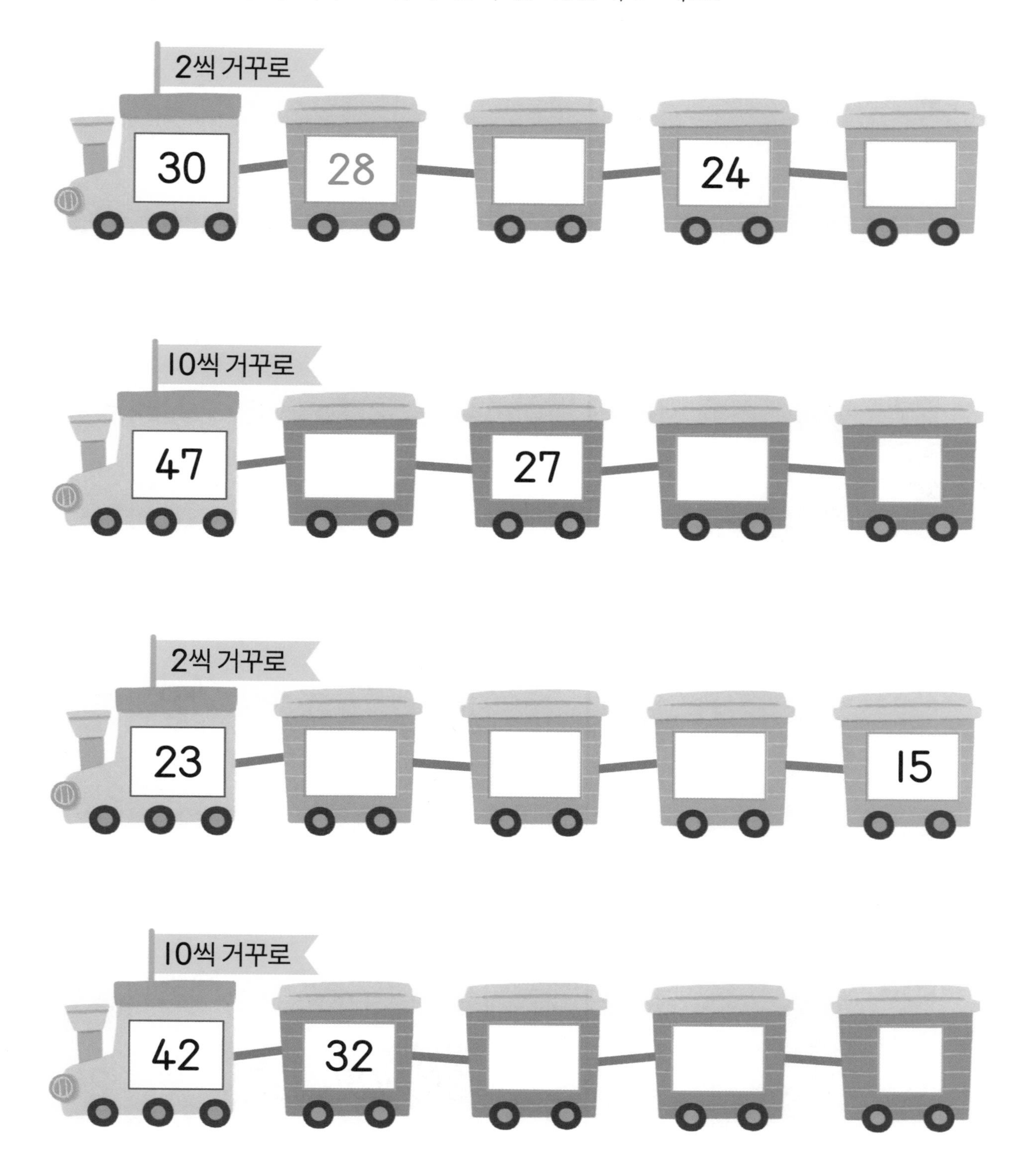

5일 규칙 찾아 세기

규칙을 찾아 빈칸에 알맞은 수를 쓰세요.

26	28	30		34

4	14	24	34	

40	39	38	37	

37		41	43	45

41	31		11	1

29	27	25		21

미로를 통과하며 만나는 수의 규칙을 찾아 ◯ 안에 알맞은 수를 쓰세요.

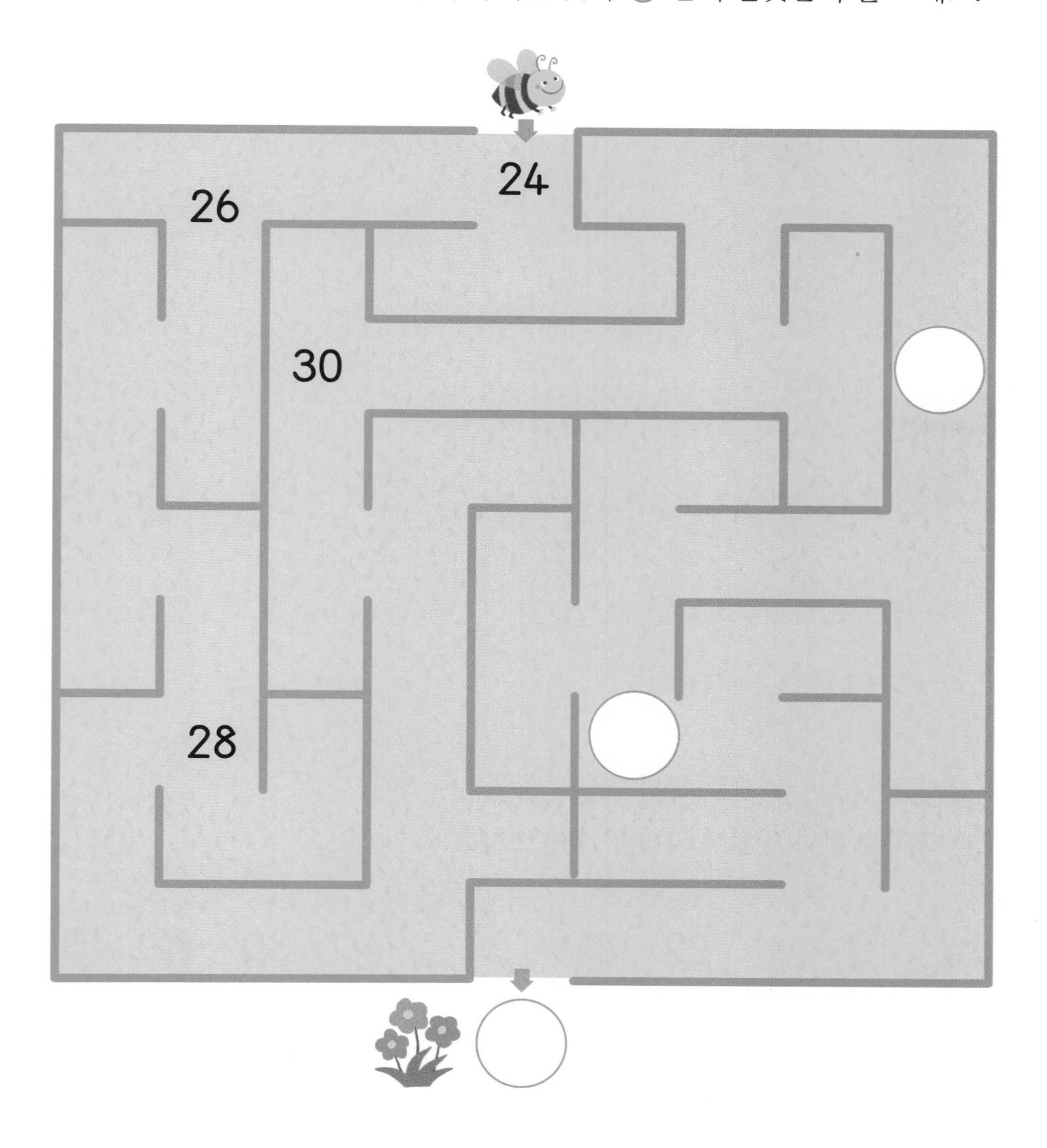

확인학습

앞으로 또는 거꾸로 뛰어 센 수를 각각 빈 곳에 쓰세요.

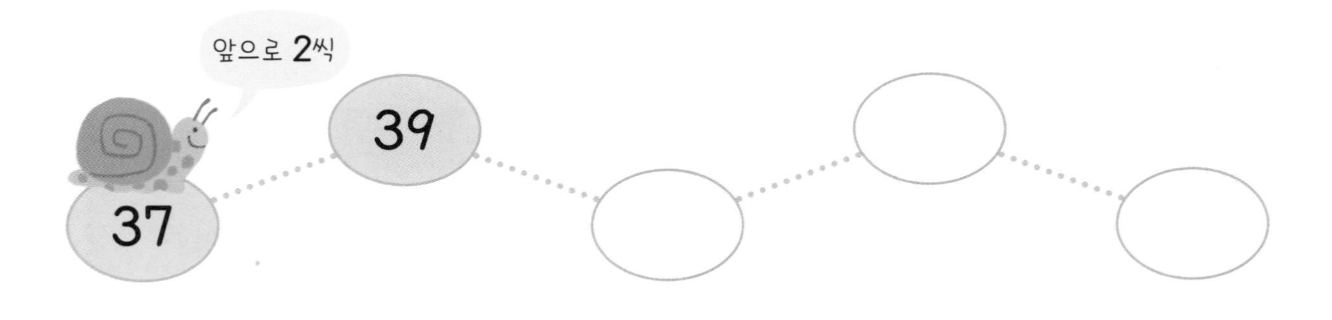

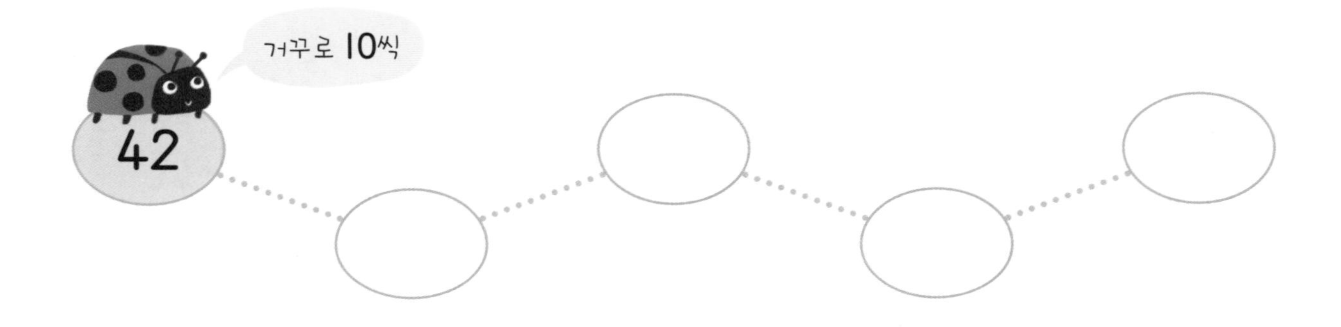

규칙을 찾아 빈칸에 알맞은 수를 쓰세요.

16	18		22	24

	40	30	20	10

➡ 19쪽으로 돌아가 2주 차 학습 기준을 달성했는지 체크해 보세요.

3주 50까지의 수에서 더하기·빼기 1, 2

학습 기준

- 50까지의 수에서 1 큰 수, 1 작은 수를 알 수 있나요? □
- 50까지의 수에서 더하기 1, 빼기 1을 계산할 수 있나요? □
- 50까지의 수에서 2 큰 수, 2 작은 수를 알 수 있나요? □
- 50까지의 수에서 더하기 2, 빼기 2를 계산할 수 있나요? □

1일 1 큰 수, 1 작은 수

I원짜리 동전을 I개 더 붙이고, I 큰 수를 쓰세요.

I 큰 수: ☐　　　I 큰 수: ☐

I원짜리 동전을 I개 지우고, I 작은 수를 쓰세요.

I 작은 수: ☐　　　I 작은 수: ☐

개구리에 적힌 수보다 1 큰 수와 1 작은 수를 각각 찾아 선으로 이으세요.

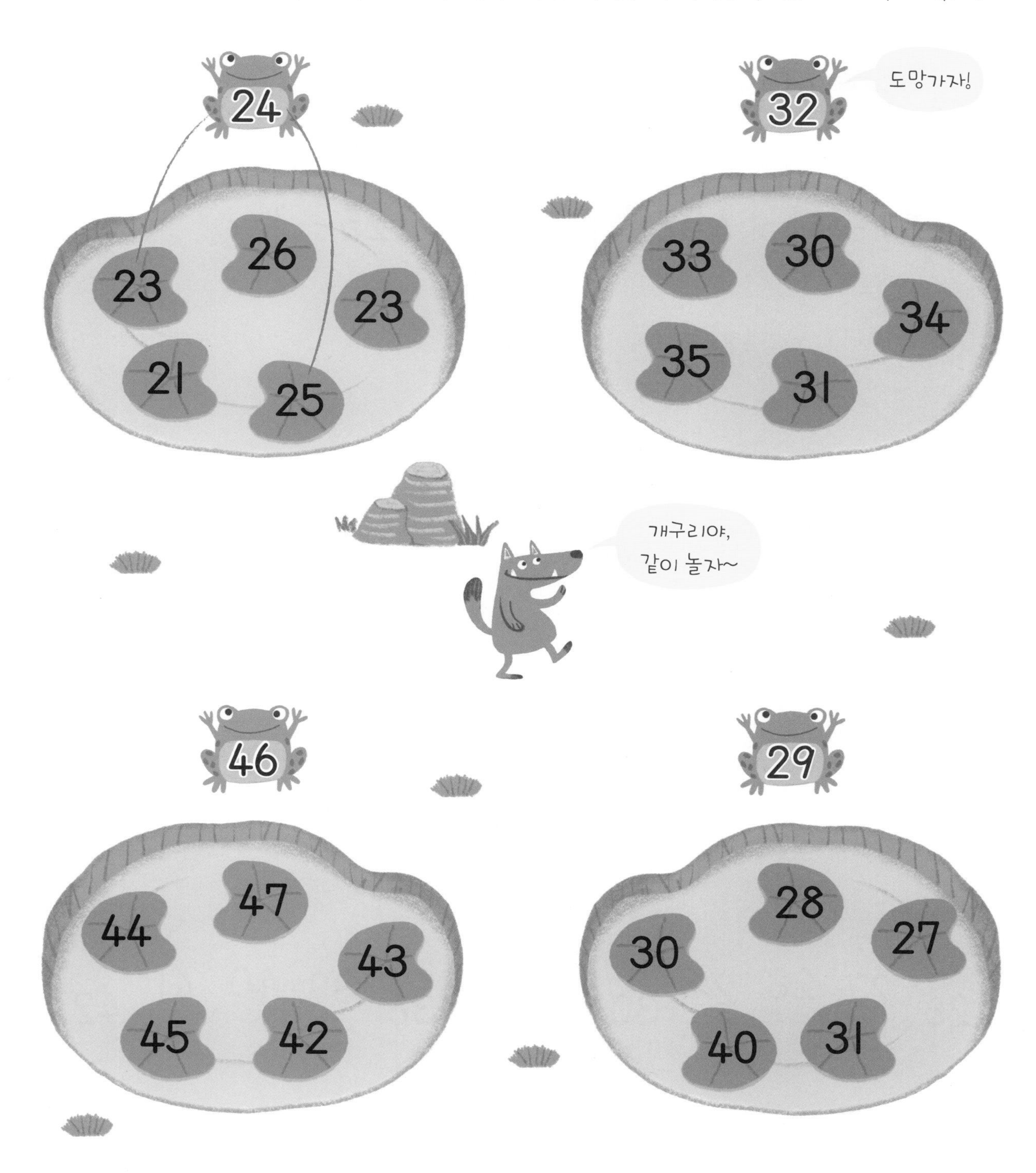

더하기 1, 빼기 1

화살표를 그려 더하기 1, 빼기 1을 계산하세요.

38	39	40	41	42

39 + 1 = 40

더하기 1은 오른쪽으로 1칸

23	24	25	26	27

25 − 1 = □

빼기 1은 왼쪽으로 1칸

40	41	42	43	44

43 + 1 = □

33	34	35	36	37

34 − 1 = □

26	27	28	29	30

28 + 1 = □

38	39	40	41	42

40 − 1 = □

1 큰 수와 1 작은 수를 쓰고, 더하기 1 빼기 1을 계산하세요.

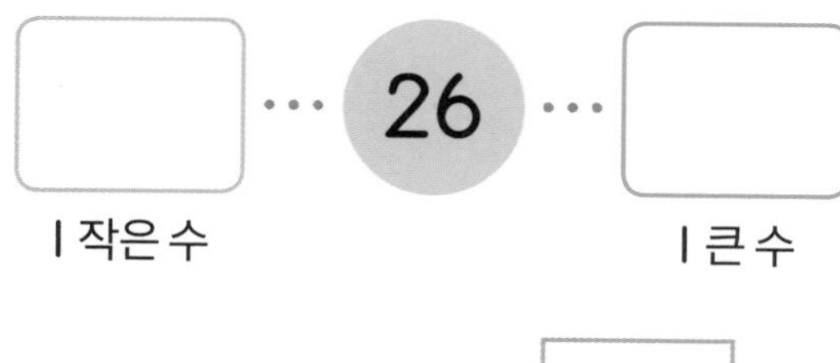

$26-1=\square$

$26+1=\square$

□ … 32 … □

1 작은 수   1 큰 수

$32-1=\square$

$32+1=\square$

□ … 49 … □

1 작은 수   1 큰 수

$49-1=\square$

$49+1=\square$

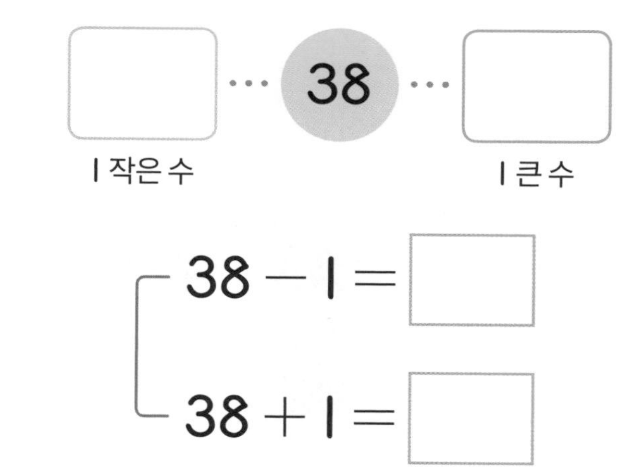

칸토 쌤 앞에서 학습한 1 큰 수, 1 작은 수를 기초로 하여 더하기 1, 빼기 1을 공부해요. 동전과 수 배열표를 이용하면 큰 수의 덧셈과 뺄셈도 어렵지 않게 할 수 있음을 느끼며 연산에 대한 자신감을 가질 수 있도록 도와주세요.

1 큰 수 → 더하기 1

1 작은 수 → 빼기 1

3일 2 큰 수, 2 작은 수

I원짜리 동전을 2개 더 붙이고, 2 큰 수를 쓰세요.

25

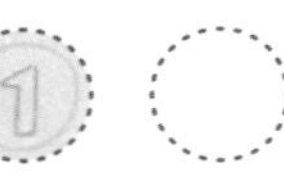

41

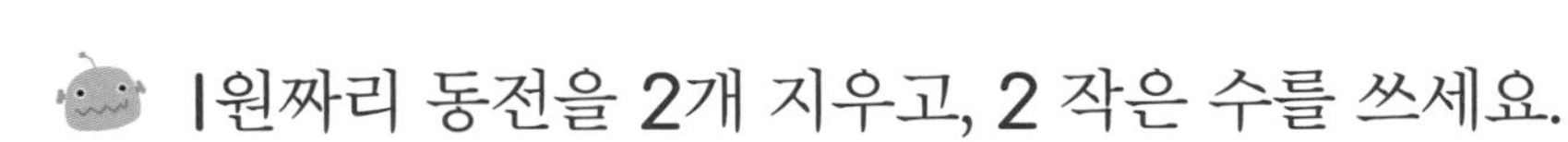

I원짜리 동전을 2개 지우고, 2 작은 수를 쓰세요.

46

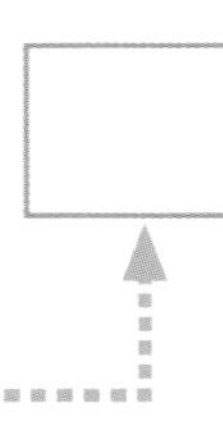

35

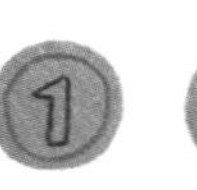

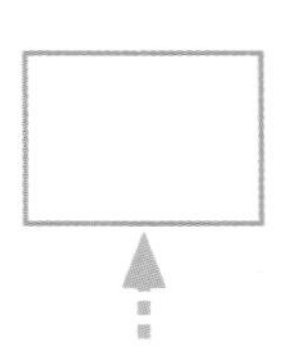

2 큰 수와 2 작은 수를 쓰세요.

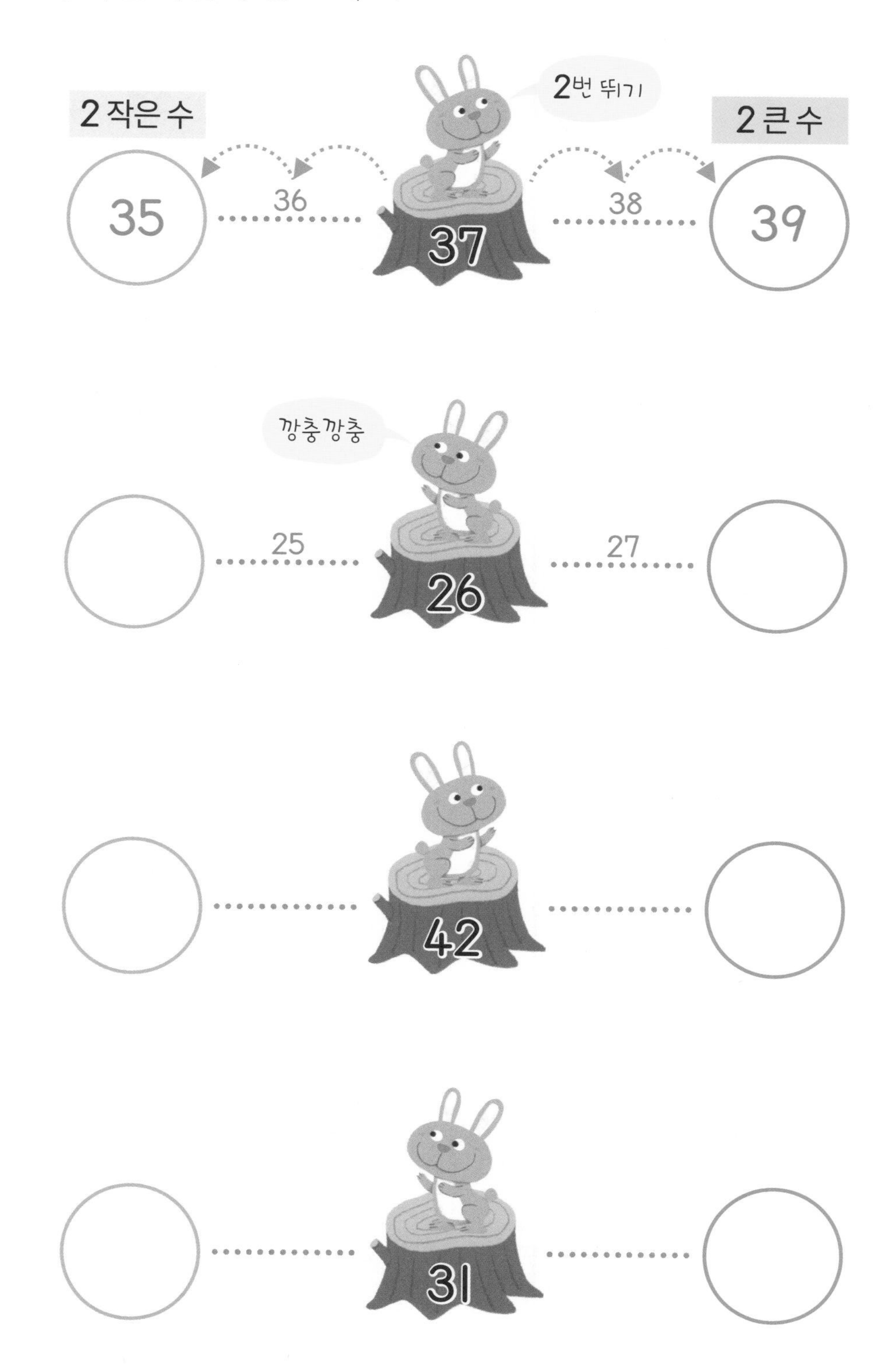

4일 더하기 2, 빼기 2

화살표를 그려 더하기 2, 빼기 2를 계산하세요.

25 26 27 28 29

$27+2=$ 29

더하기 2는
오른쪽으로 2칸

37 38 39 40 41

$39-2=$ □

빼기 2는
왼쪽으로 2칸

17 18 19 20 21

$19+2=$ □

43 44 45 46 47

$45-2=$ □

26 27 28 29 30

$28+2=$ □

29 30 31 32 33

$31-2=$ □

2 큰 수와 2 작은 수를 쓰고, 더하기 2 빼기 2를 계산하세요.

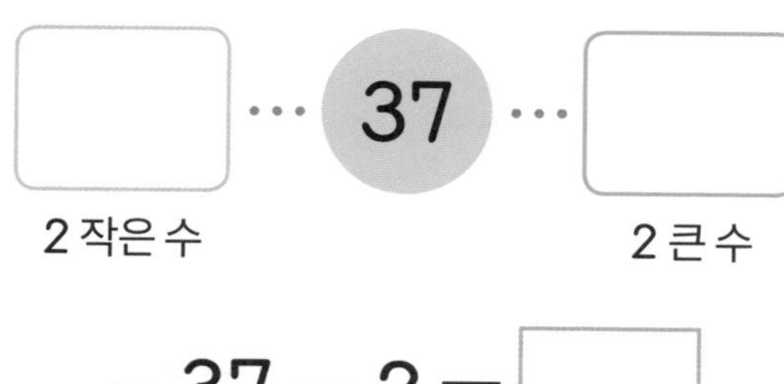

37 − 2 = ☐

37 + 2 = ☐

☐ … 22 … ☐

2 작은 수 / 2 큰 수

22 − 2 = ☐

22 + 2 = ☐

☐ … 46 … ☐

2 작은 수 / 2 큰 수

46 − 2 = ☐

46 + 2 = ☐

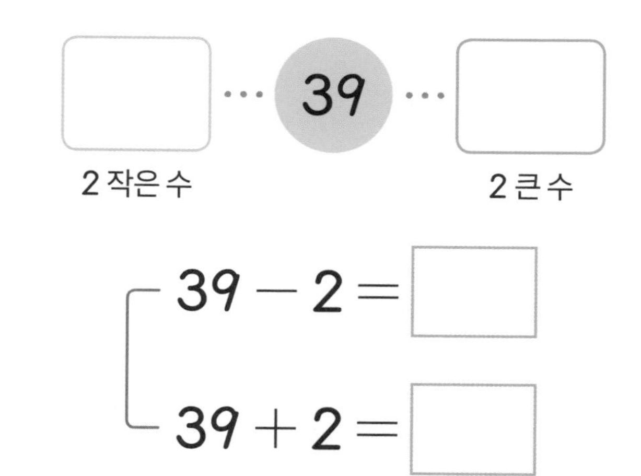

칸토 쌤

앞에서 학습한 2 큰 수, 2 작은 수를 기초로 하여 더하기 2, 빼기 2를 공부해요. 더하기 1, 빼기 1보다 한 번 더 1을 더하고 빼야 해서 아이가 어려워해요. 주어진 수보다 '1 큰 수, 또 1 큰 수(다음 다음 수)'와 같이 수 세기를 차근차근히 할 수 있게 도와주세요.

2 큰 수 ⬇ 더하기 2

2 작은 수 ⬇ 빼기 2

더하기·빼기 1, 2 연습

계산에 맞는 열쇠 딱지를 찾아 문 위에 붙이세요.

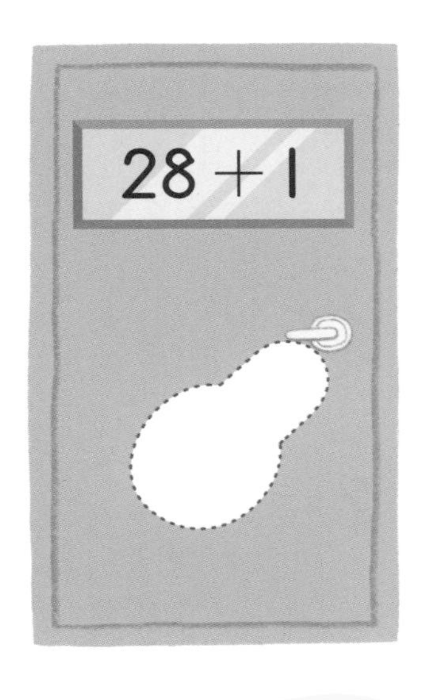

30 29 27

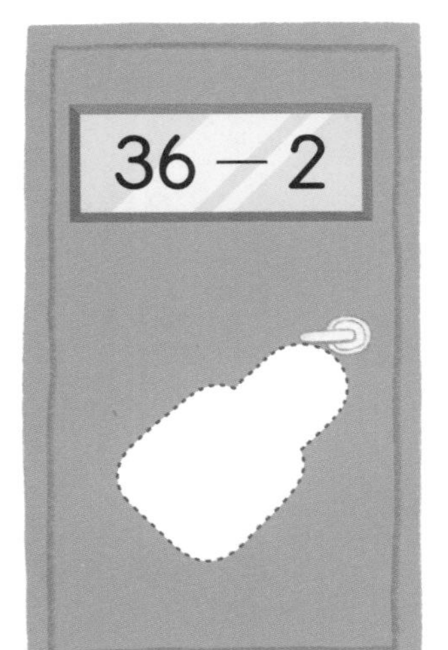

33 35 34

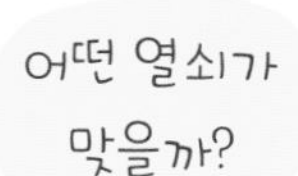

계산 결과가 적힌
열쇠로 열어야 해.

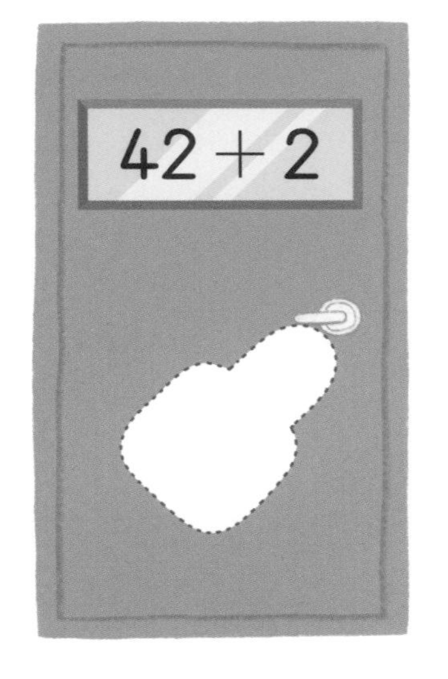

43 45 44

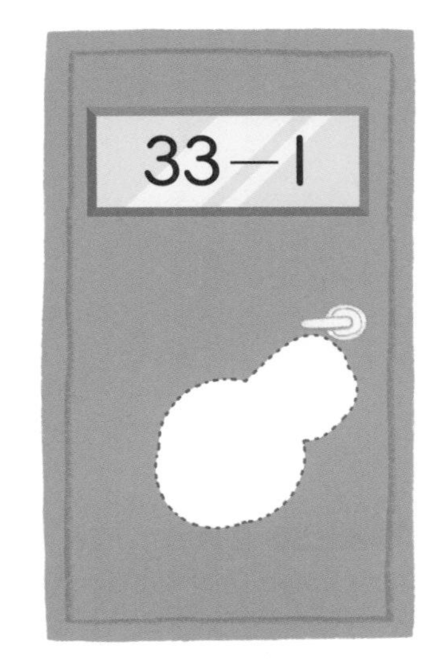

32 30 31

계산을 하세요.

$24 + 1 = \square$

$33 - 2 = \square$

$15 + 2 = \square$

$40 - 1 = \square$

$37 - 2 = \square$

$28 + 2 = \square$

$43 + 2 = \square$

$39 - 1 = \square$

$$\begin{array}{r} 3\ 4 \\ +\quad 2 \\ \hline \square \end{array}$$

$$\begin{array}{r} 4\ 6 \\ -\quad 1 \\ \hline \square \end{array}$$

$$\begin{array}{r} 3\ 0 \\ +\quad 2 \\ \hline \square \end{array}$$

확인학습

화살표를 그려 덧셈과 뺄셈을 하세요.

25	26	27	28	29

$27 + 1 = \square$

31	32	33	34	35

$33 - 1 = \square$

33	34	35	36	37

$35 + 2 = \square$

46	47	48	49	50

$48 - 2 = \square$

계산을 하세요.

$14 - 2 = \square$

$37 + 1 = \square$

$25 + 2 = \square$

$41 - 1 = \square$

➡ 31쪽으로 돌아가 3주 차 학습 기준을 달성했는지 체크해 보세요.

4주 50까지의 수에서 더하기·빼기 1, 2, 10

학습 기준

- 50까지의 수에서 1, 2, 10 큰 수를 알 수 있나요? ☐
- 50까지의 수에서 더하기 1, 2, 10을 할 수 있나요? ☐
- 50까지의 수에서 1, 2, 10 작은 수를 알 수 있나요? ☐
- 50까지의 수에서 빼기 1, 2, 10을 할 수 있나요? ☐

1일 1 큰 수, 2 큰 수, 10 큰 수

그림을 보고 1 큰 수, 2 큰 수, 10 큰 수를 구하세요.

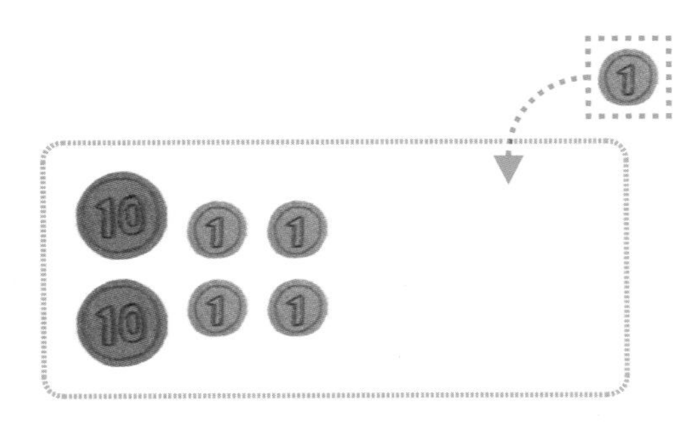

24 + 1 = 25

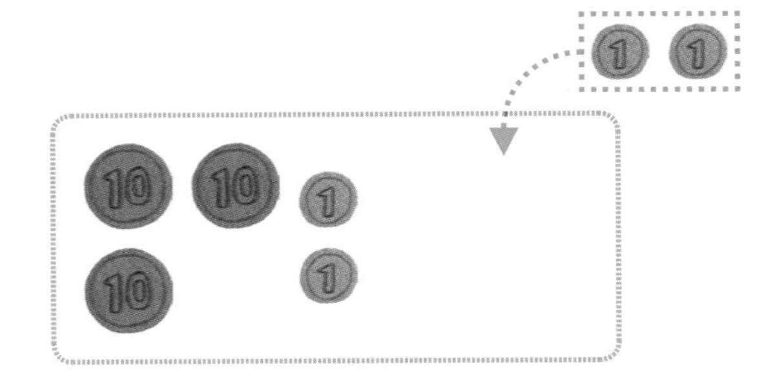

32 + 2 = ☐

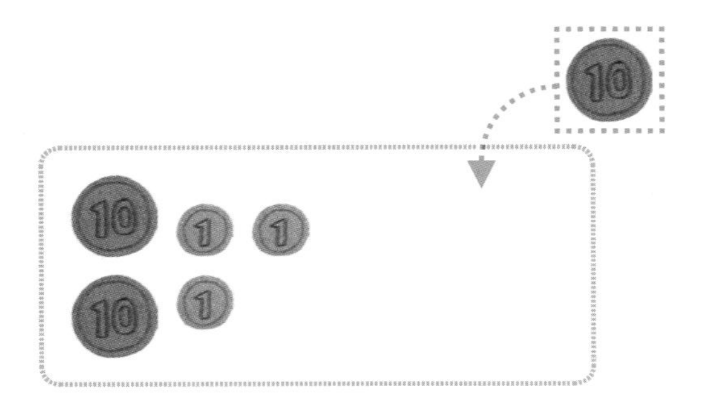

23 + 10 = ☐

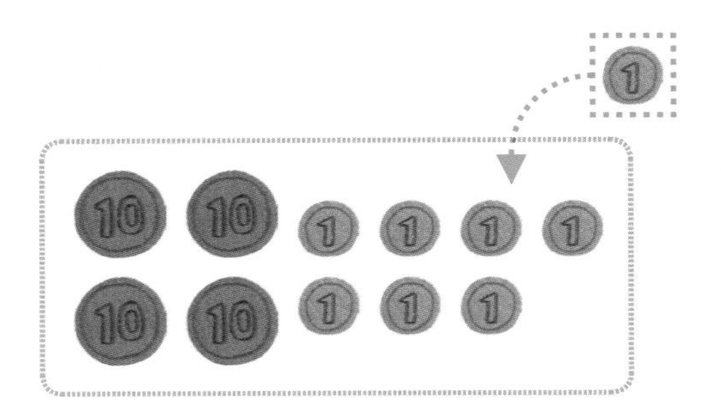

47 + 1 = ☐

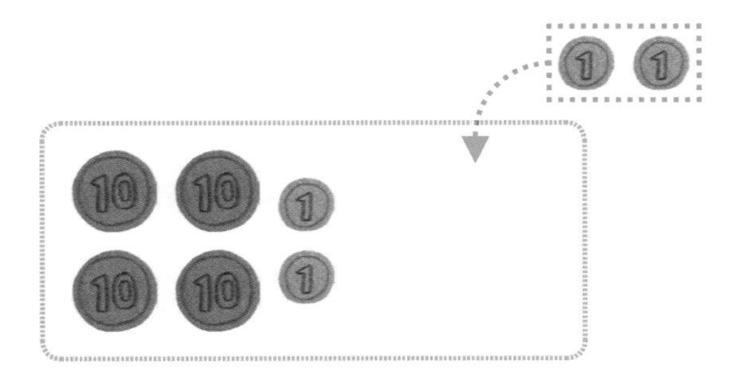

42 + 2 = ☐

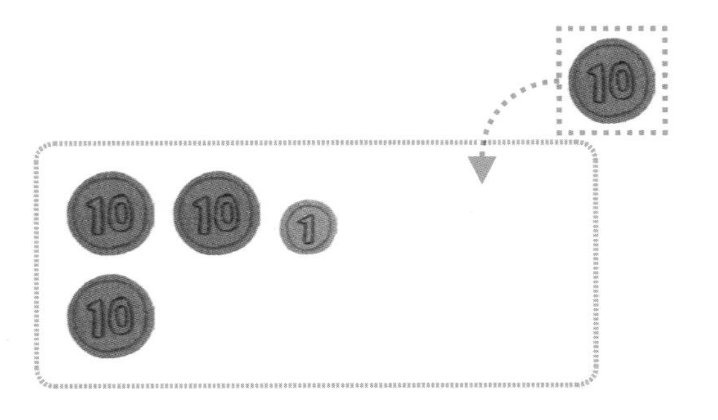

31 + 10 = ☐

주어진 수에 ◯표 하고 1 큰 수, 2 큰 수, 10 큰 수를 찾아 색칠하세요.

1 큰 수:　　2 큰 수:　　10 큰 수:

17

11	12	13	14	15	16	(17)	18	19	20
21	22	23	24	25	26	27	28	29	30

34

31	32	33	34	35	36	37	38	39	40
41	42	43	44	45	46	47	48	49	50

25

21	22	23	24	25	26	27	28	29	30
31	32	33	34	35	36	37	38	39	40

칸토 쌤

3주 차에서 배운 50까지의 더하기 1, 2에 이어 더하기 10과 함께 더하기 1, 2, 10을 종합합니다. 아이가 큰 수의 덧셈과 뺄셈을 이해하는 데는 동전과 수 배열표가 매우 효과적이므로 반복하여 사용할 수 있게 도와주세요.

1, 2, 10 큰 수
↓
더하기 1, 2, 10

더하기 1, 2, 10

화살표를 그려 더하기 1, 더하기 2, 더하기 10을 계산하세요.

24	25	26	27
34	35	36	37

25 + 1 = ☐

30	31	32	33
40	41	42	43

41 + 2 = ☐

37	38	39	40
47	48	49	50

39 + 10 = ☐

33	34	35	36
43	44	45	46

34 + 1 = ☐

37	38	39	40
47	48	49	50

49 + 1 = ☐

25	26	27	28
35	36	37	38

27 + 10 = ☐

알맞은 수를 찾아 색칠하세요.

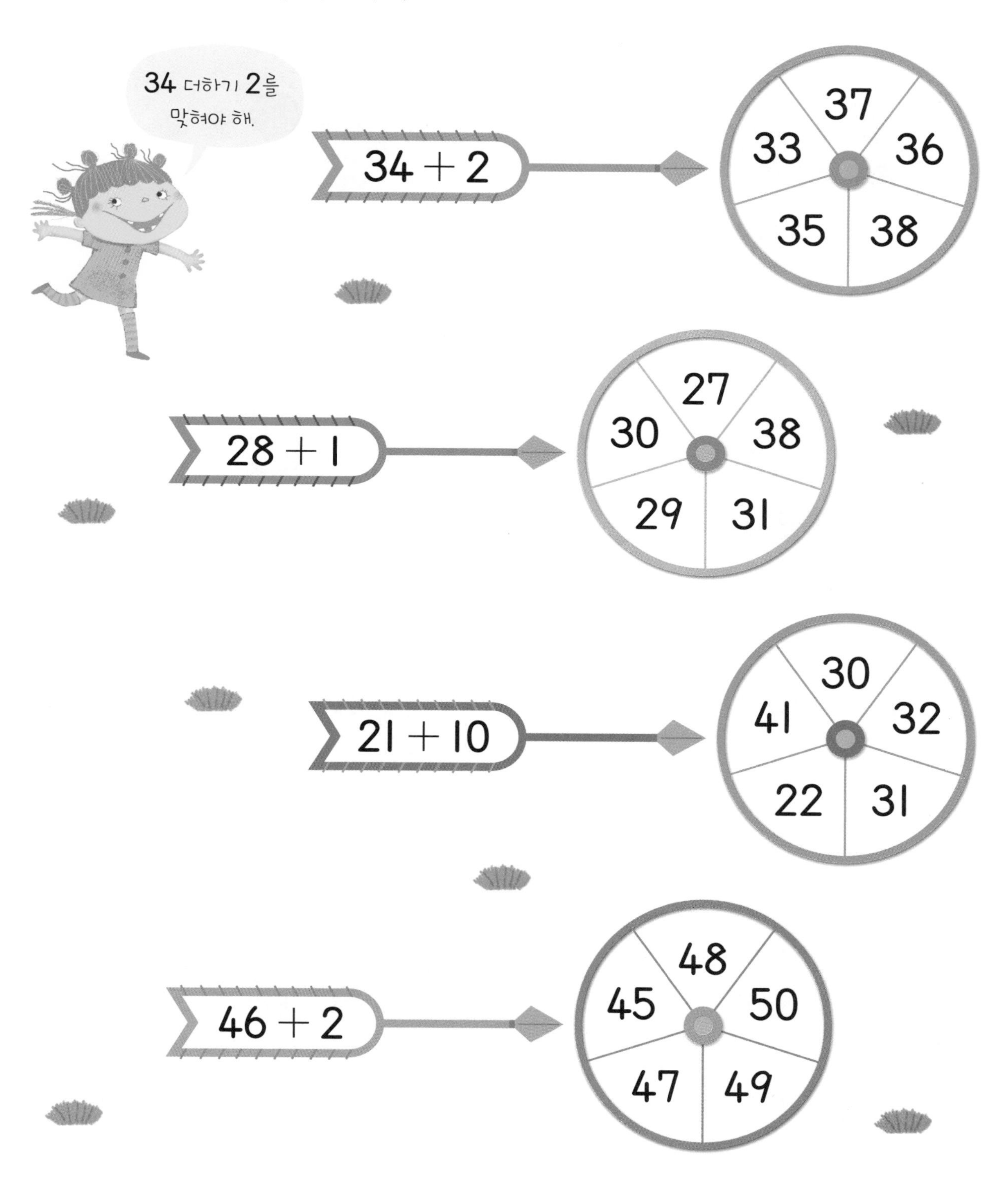

3일 1 작은 수, 2 작은 수, 10 작은 수

그림을 보고 1 작은 수, 2 작은 수, 10 작은 수를 구하세요.

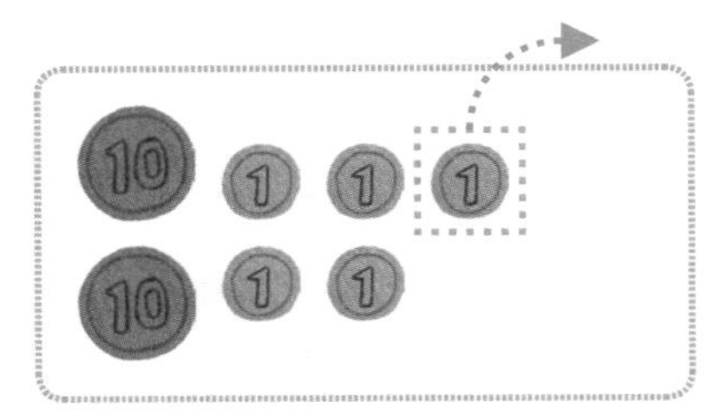

$25 - 1 = \square$

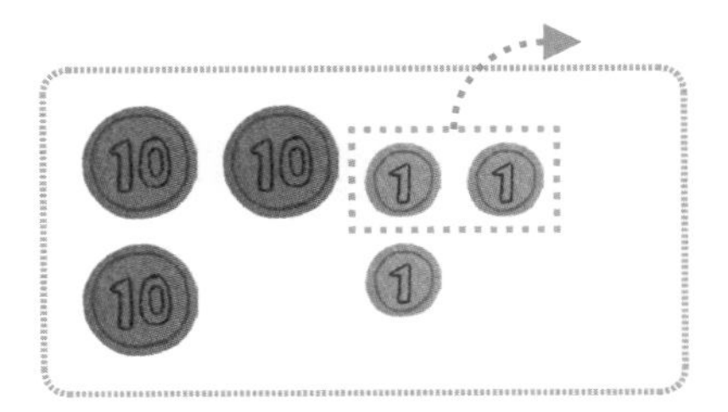

$33 - 2 = \square$

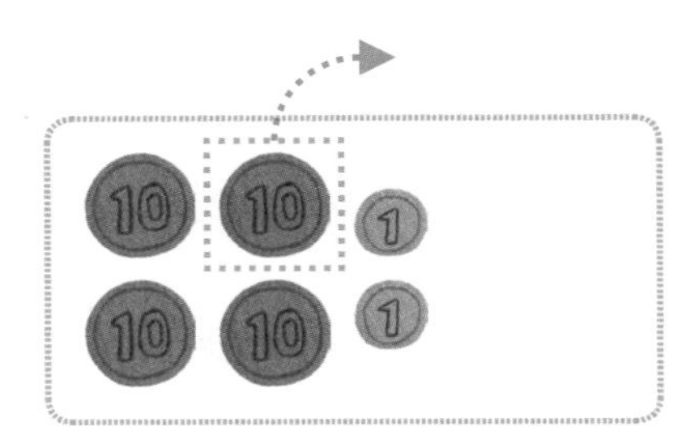

$42 - 10 = \square$

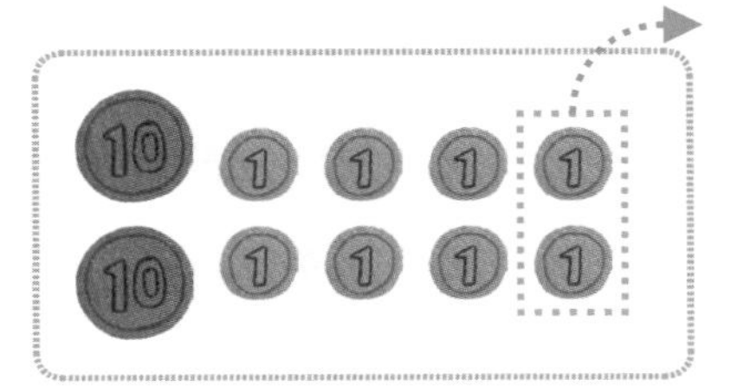

$28 - 2 = \square$

$36 - 1 = \square$

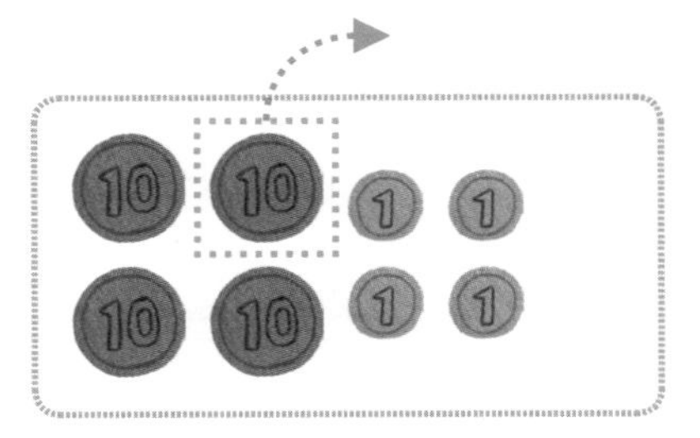

$44 - 10 = \square$

주어진 수에 ◯표 하고 1 작은 수, 2 작은 수, 10 작은 수를 찾아 알맞게 색칠하세요.

1 작은 수: 　　2 작은 수: 　　10 작은 수:

38

21	22	23	24	25	26	27	28	29	30
31	32	33	34	35	36	37	38	39	40

25

11	12	13	14	15	16	17	18	19	20
21	22	23	24	25	26	27	28	29	30

46

31	32	33	34	35	36	37	38	39	40
41	42	43	44	45	46	47	48	49	50

칸토 쌤

3주 차에서 배운 50까지의 빼기 1, 2에 이어 빼기 10과 함께 빼기 1, 2, 10을 종합합니다. 7세 4권에서는 받아올림이 없는 (두 자리 수)±(한 자리 수)를 배워요. 동전과 수 배열표는 계속 사용되므로 더하기·빼기 1, 2, 10을 능숙하게 할 수 있도록 연습해 주세요.

1, 2, 10 작은 수
⬇
빼기 1, 2, 10

빼기 1, 2, 10

화살표를 그려 빼기 1, 빼기 2, 빼기 10을 계산하세요.

21	22	23	24
31	32	33	34

23 − 1 = 22

27	28	29	30
37	38	39	40

39 − 2 = □

36	37	38	39
46	47	48	49

47 − 10 = □

22	23	24	25
32	33	34	35

35 − 1 = □

30	31	32	33
40	41	42	43

42 − 2 = □

15	16	17	18
25	26	27	28

26 − 10 = □

뺄셈을 하여 ◯ 안에 알맞은 수를 쓰세요.

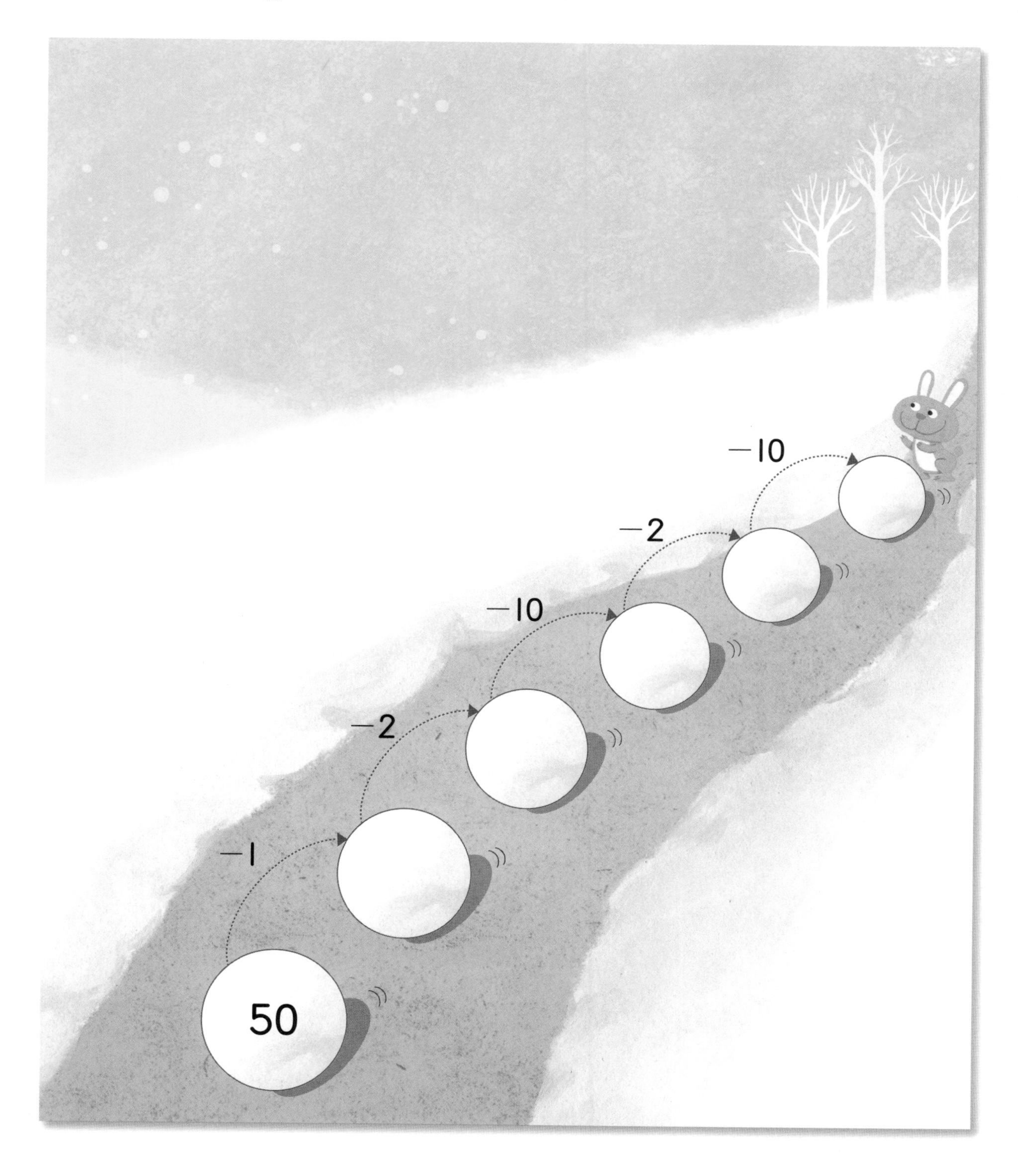

5일 더하기·빼기 1, 2, 10 연습

계산 결과에 맞게 길을 그리세요.

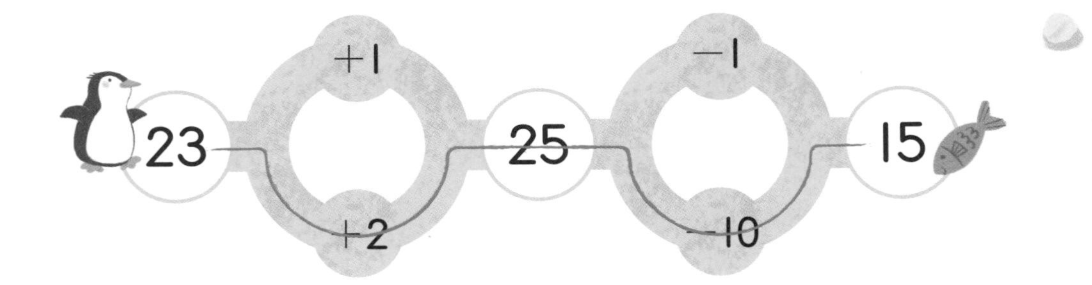

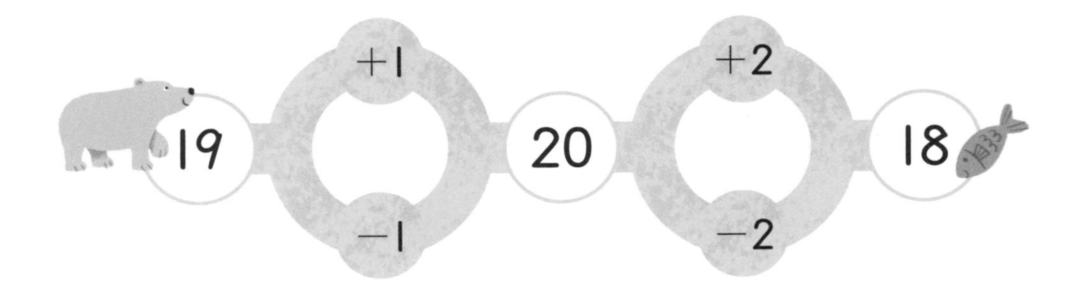

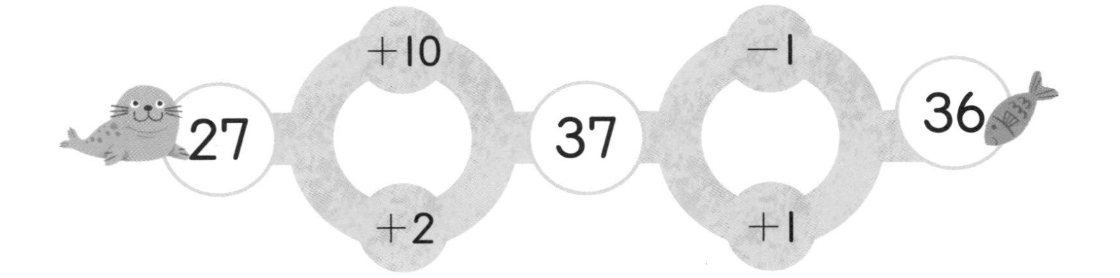

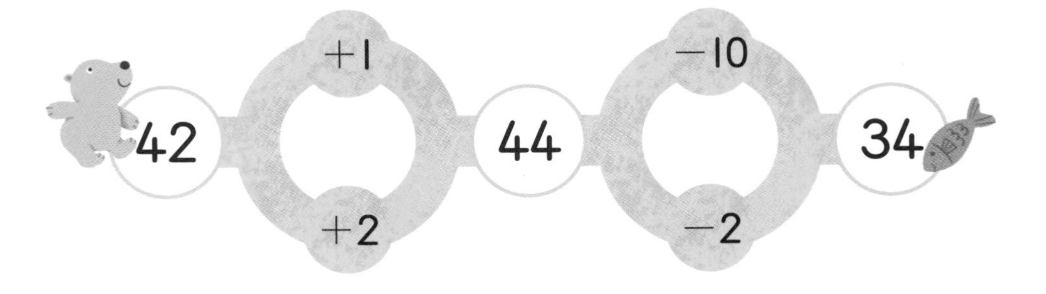

계산을 하세요.

$32 - 2 = \square$

$26 + 10 = \square$

$44 + 2 = \square$

$37 - 1 = \square$

$28 + 1 = \square$

$49 - 10 = \square$

$11 + 10 = \square$

$23 + 2 = \square$

$$\begin{array}{r} 46 \\ - \ \ 2 \\ \hline \square \end{array}$$

$$\begin{array}{r} 24 \\ + \ \ 1 \\ \hline \square \end{array}$$

$$\begin{array}{r} 33 \\ - 10 \\ \hline \square \end{array}$$

확인학습

그림을 보고 덧셈과 뺄셈을 하세요.

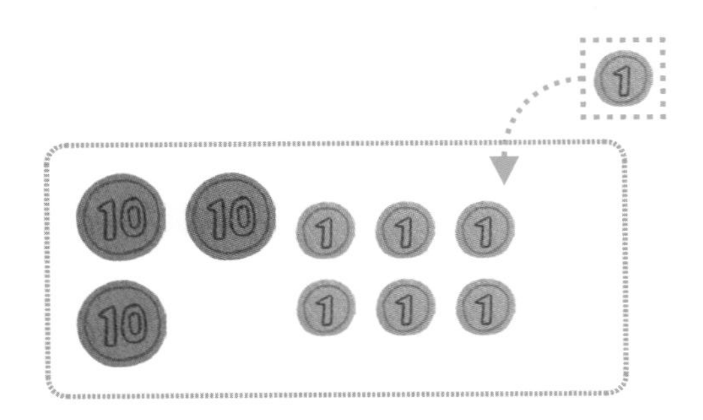

$36+1=\square$

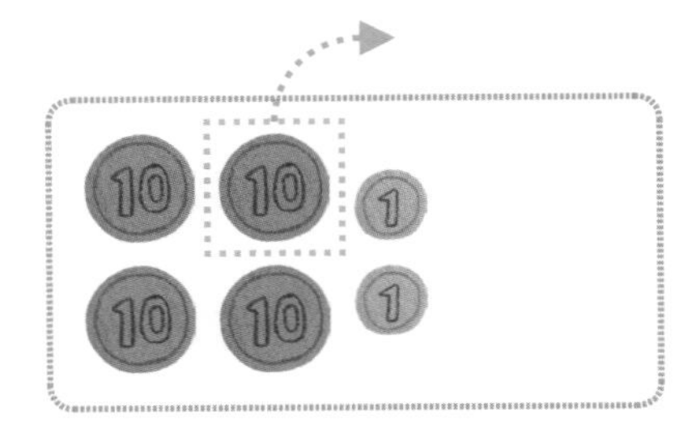

$42-10=\square$

화살표를 그려 덧셈과 뺄셈을 하세요.

11	12	13	14
21	22	23	24

$23-2=\square$

37	38	39	40
47	48	49	50

$39+10=\square$

계산을 하세요.

$$\begin{array}{r} 32 \\ +\ \ 1 \\ \hline \square \end{array}$$

$$\begin{array}{r} 24 \\ -10 \\ \hline \square \end{array}$$

$$\begin{array}{r} 45 \\ +\ \ 2 \\ \hline \square \end{array}$$

➡ 43쪽으로 돌아가 4주 차 학습 기준을 달성했는지 체크해 보세요.

마무리 평가

"마무리 평가에서는 1, 2, 3, 4주 차의 유형이 순서대로 나옵니다.
문제가 틀리면 몇 주 차인지 확인하여 반드시 다시 한번 복습합니다."

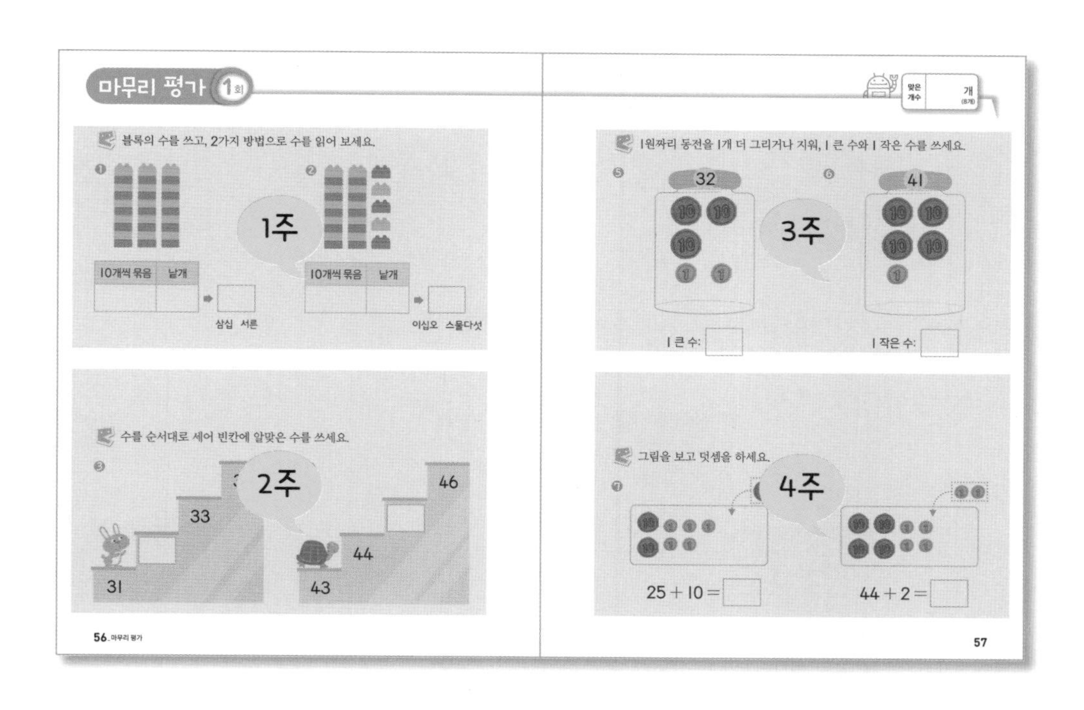
마무리 평가 1회

맞은 개수 개

블록의 수를 쓰고, 2가지 방법으로 수를 읽어 보세요.

❶

10개씩 묶음	낱개

삼십 서른

❷

10개씩 묶음	낱개

이십오 스물다섯

1주

수를 순서대로 세어 빈칸에 알맞은 수를 쓰세요.

❸ 31 33 43 44 46

2주

1원짜리 동전을 1개 더 그리거나 지워, 1 큰 수와 1 작은 수를 쓰세요.

❺ 32 1 큰 수:

❻ 41 1 작은 수:

3주

그림을 보고 덧셈을 하세요.

❼ 25 + 10 =

44 + 2 =

4주

56 마무리 평가

57

마무리 평가 1회

블록의 수를 쓰고, 2가지 방법으로 수를 읽어 보세요.

❶ 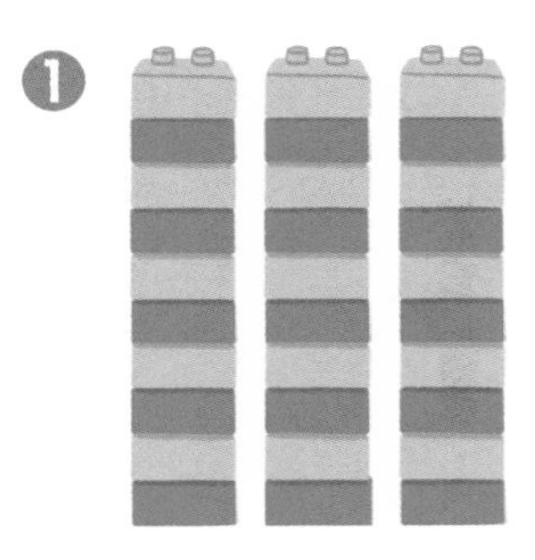

10개씩 묶음	낱개

➡ ☐

삼십 · 서른

❷ 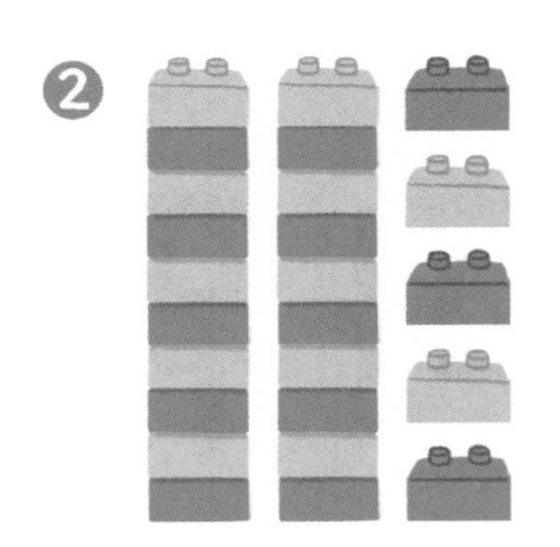

10개씩 묶음	낱개

➡ ☐

이십오 · 스물다섯

수를 순서대로 세어 빈칸에 알맞은 수를 쓰세요.

❸ 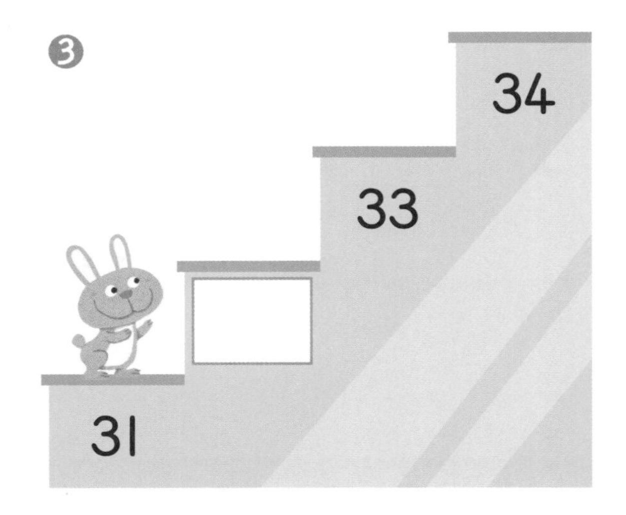

❹ 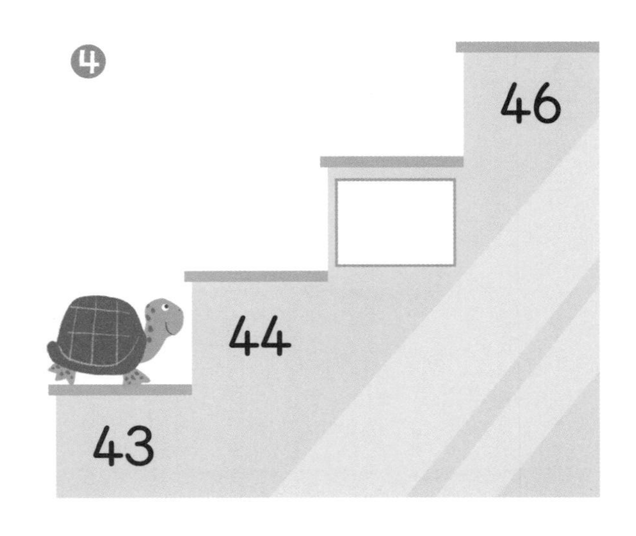

맞은 개수	개 (8개)

1원짜리 동전을 1개 더 그리거나 지워, 1 큰 수와 1 작은 수를 쓰세요.

❺

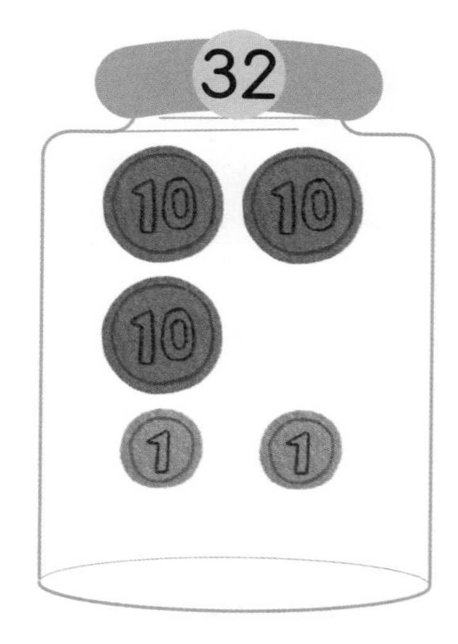

1 큰 수: ☐

❻

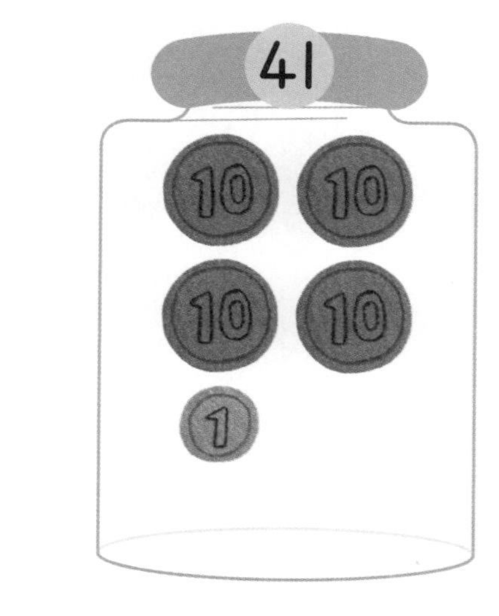

1 작은 수: ☐

그림을 보고 덧셈을 하세요.

❼

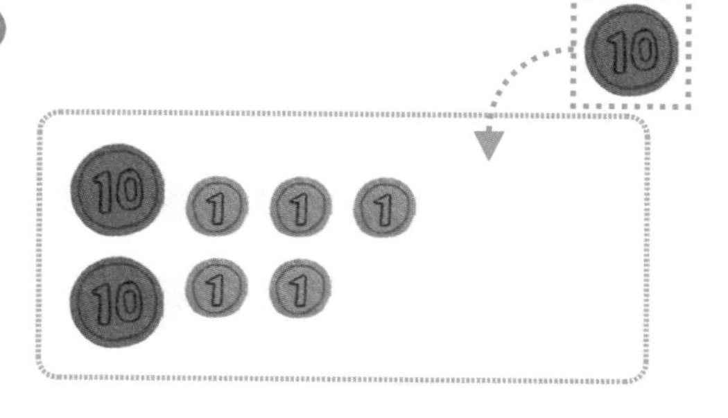

$25 + 10 = \square$

❽

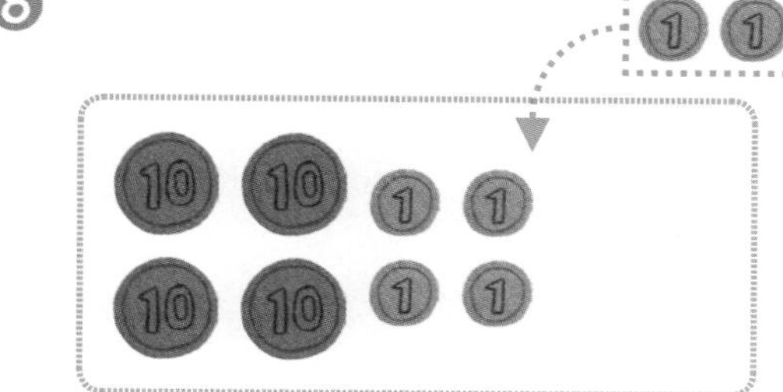

$44 + 2 = \square$

마무리 평가 2회

구슬의 수를 세어 보세요.

❶

❷

2씩 또는 10씩 앞으로 뛰어 센 수를 빈 곳에 쓰세요.

❸

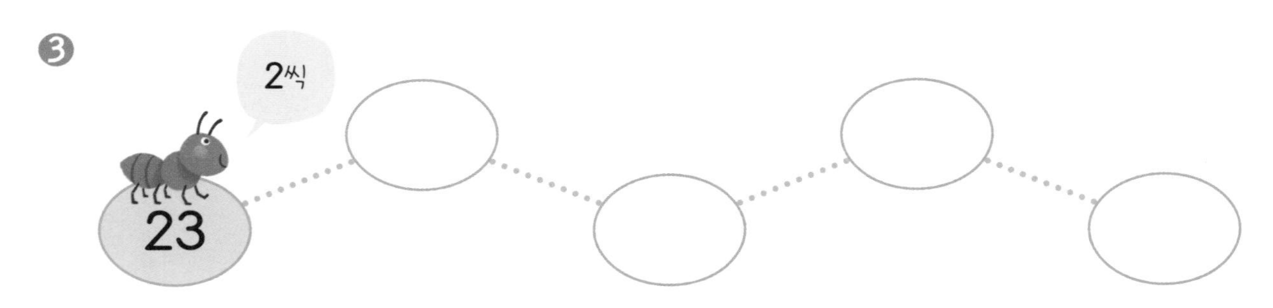

❹

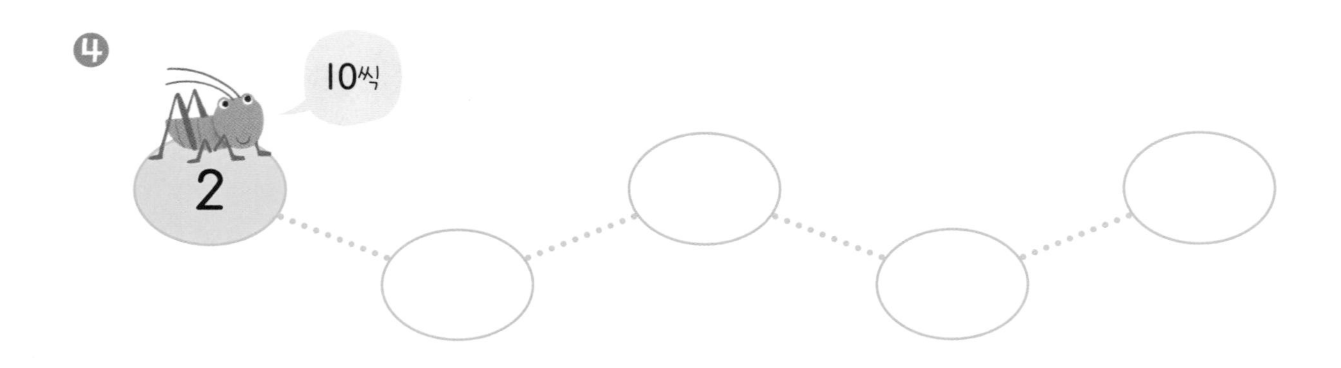

화살표를 그려 더하기 1, 빼기 1을 계산하세요.

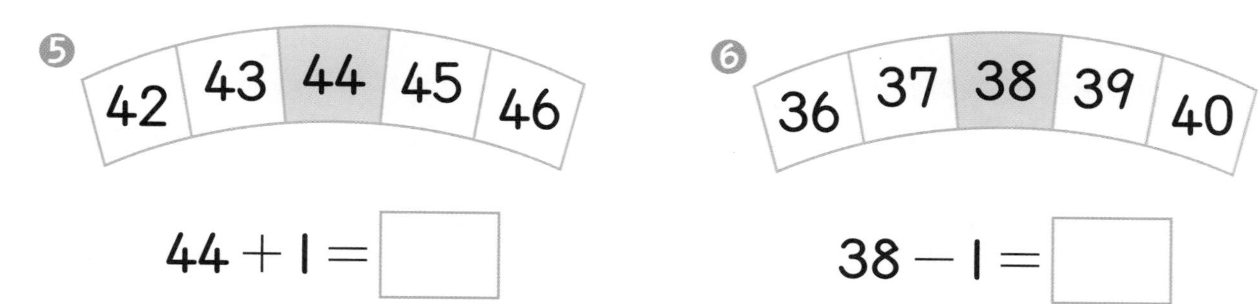

알맞은 수를 찾아 색칠하세요.

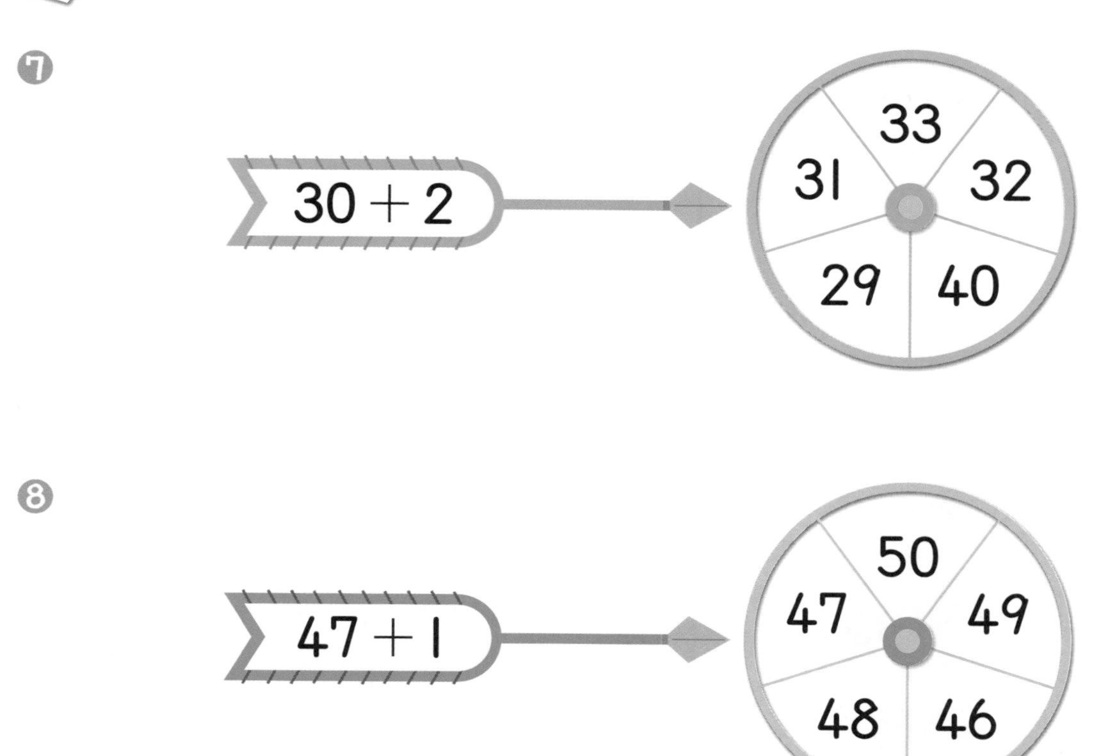

마무리 평가 3회

10마리씩 묶어 동물의 수를 세어 보세요.

❶

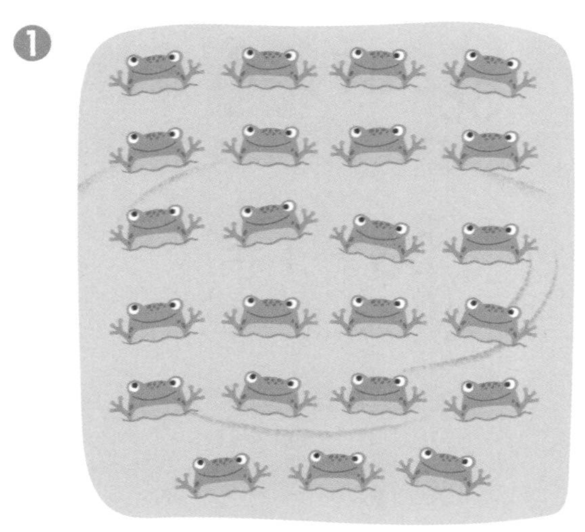

☐마리

❷

☐마리

수를 거꾸로 세어 빈칸에 알맞은 수를 쓰세요.

❸

32

31

30

☐

❹

46

45

☐

43

맞은 개수	개 (8개)

2 작은 수와 2 큰 수를 쓰세요.

❺

❻

그림을 보고 뺄셈을 하세요.

❼

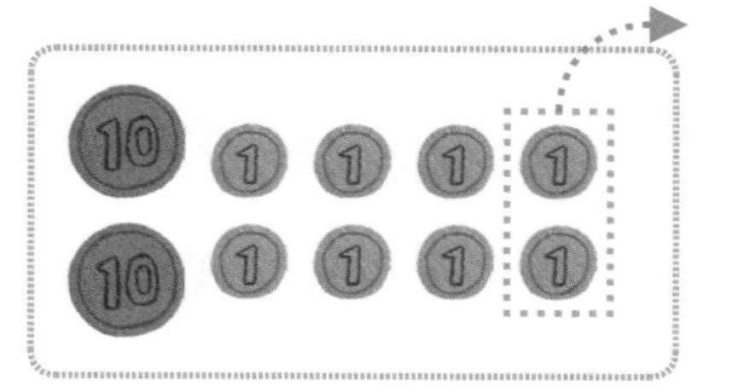

$28 - 2 = \square$

❽

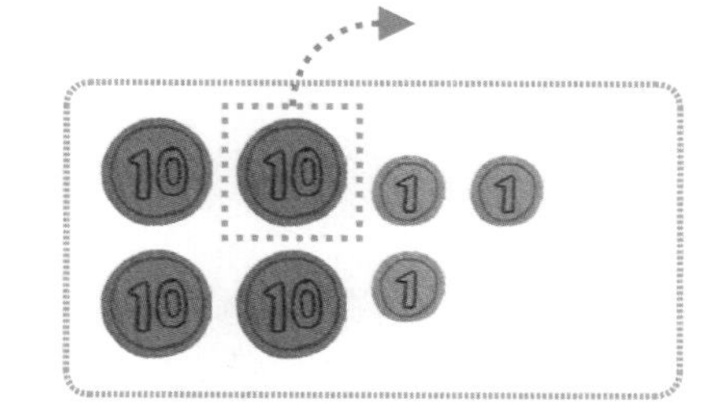

$43 - 10 = \square$

마무리 평가 4회

지갑에 들어 있는 돈은 얼마일까요?

❶ ❷

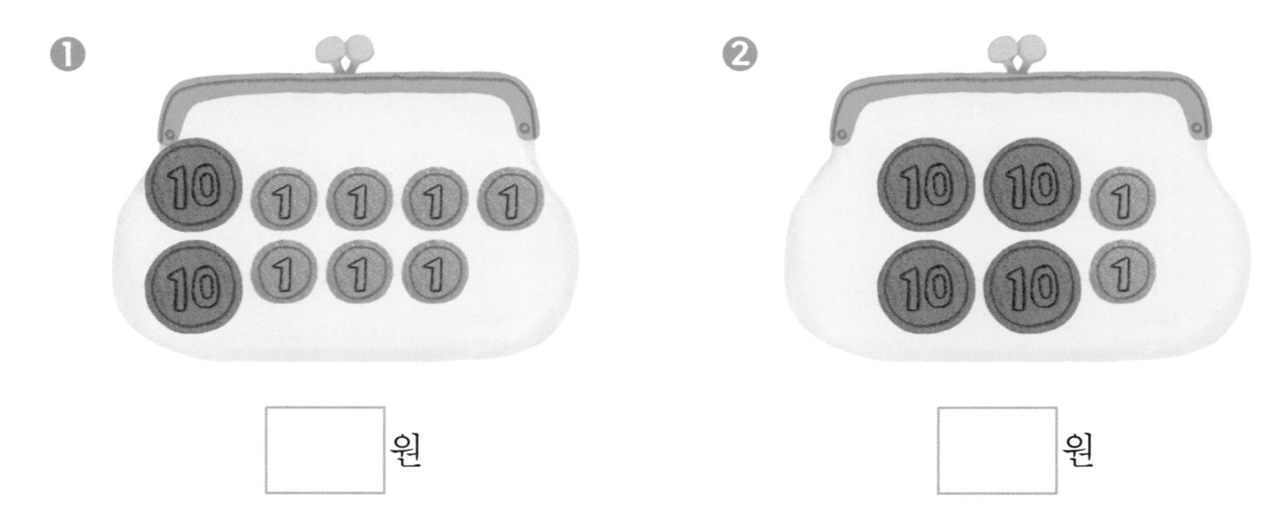

❶ ☐원

❷ ☐원

2씩 또는 10씩 거꾸로 뛰어 센 수를 빈칸에 쓰세요.

❸

❹

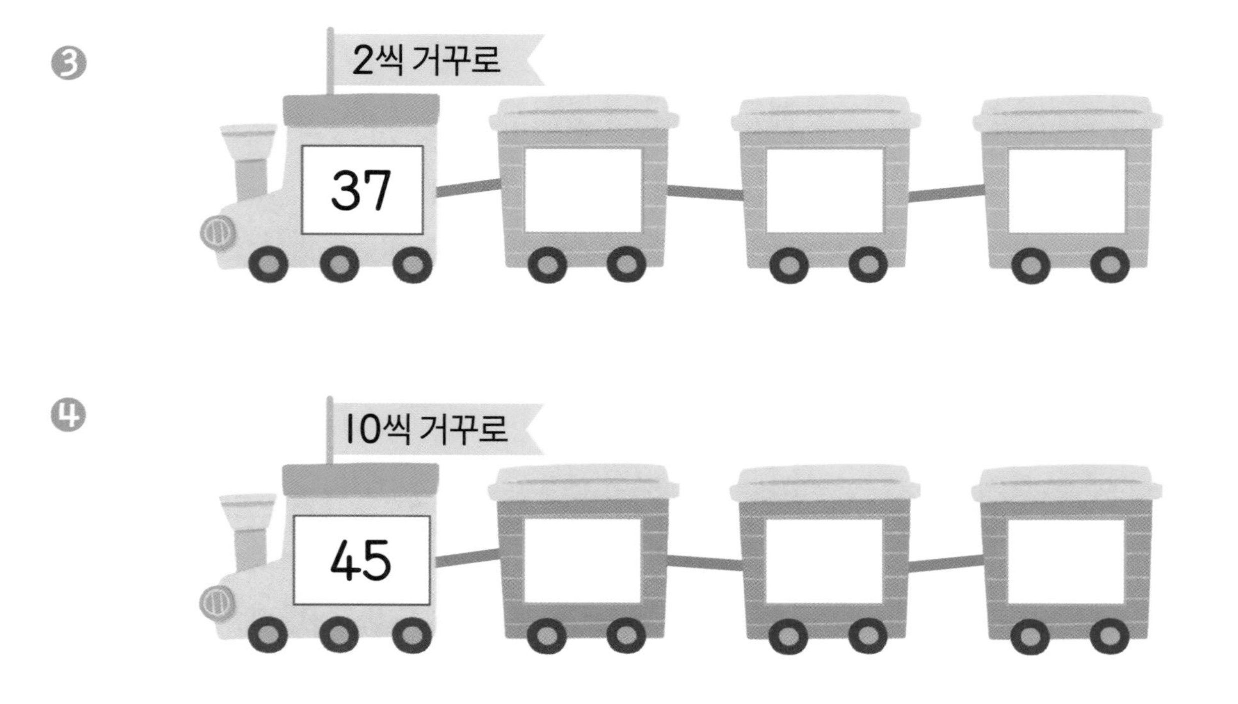

화살표를 그려 더하기 2, 빼기 2를 계산하세요.

❺

33 + 2 = □

❻

27 28 29 30 31

29 − 2 = □

화살표를 그려 다음을 뺄셈을 하세요.

❼

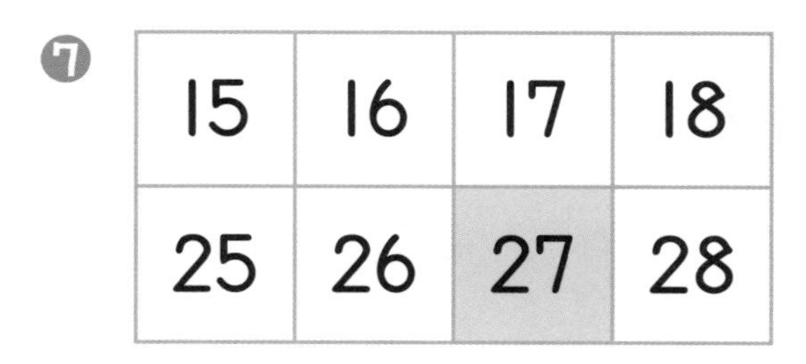

15	16	17	18
25	26	27	28

27 − 2 = □

❽

36	37	38	39
46	47	48	49

48 − 10 = □

마무리 평가 5회

수 배열표의 일부분이에요. 빈칸에 알맞은 수를 쓰세요.

❶

13	14	
23		25

❷

29	30
39	40

규칙을 찾아 빈칸에 알맞은 수를 쓰세요.

❸

28	30	32	34		38	

❹

46	36	26		6

 계산에 맞는 열쇠를 찾아 ◯표 하세요.

❺

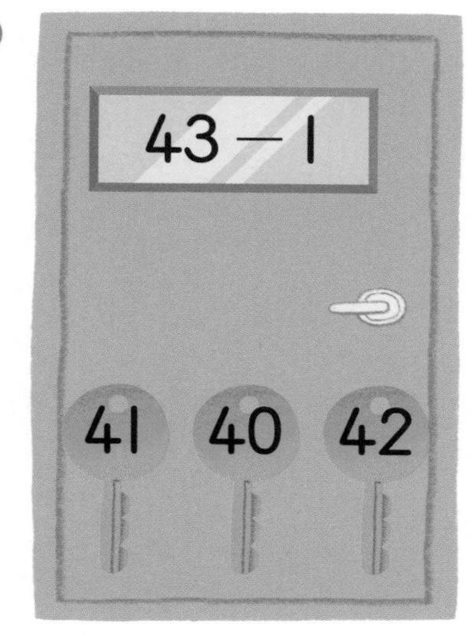

❻

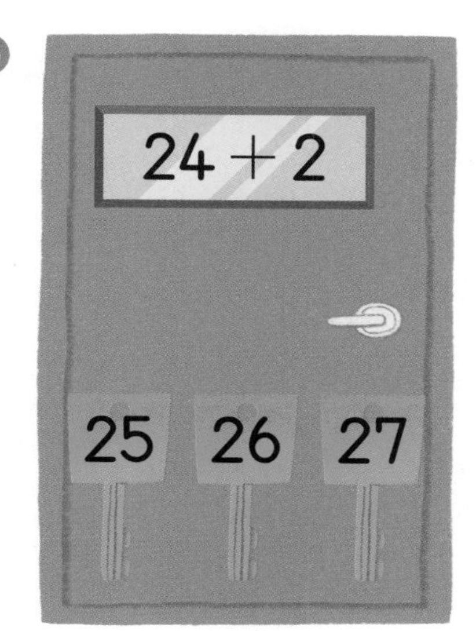

계산을 하세요.

❼ $36 - 2 = \square$

❽ $49 + 1 = \square$

❾
$$\begin{array}{r} 17 \\ +\ 10 \\ \hline \square \end{array}$$

❿
$$\begin{array}{r} 43 \\ -\ \ 2 \\ \hline \square \end{array}$$

실력 평가 ➜ 67쪽

MEMO

7세 3권

시간	3분	문제 수	20개
배점	1문제 5점 / 총 100점		

날짜: ______ 월 ______ 일

이름: ____________

점수: ______ 점

실력 평가

❶ $13 + 1 =$

❷ $7 + 1 =$

❸ $32 + 1 =$

❹ $10 + 2 =$

❺ $28 + 2 =$

❻ $5 + 2 =$

❼ $44 + 2 =$

❽ $19 + 10 =$

❾ $31 + 10 =$

❿ $27 + 10 =$

⓫ $17 - 1 =$

⓬ $30 - 1 =$

⓭ $46 - 1 =$

⓮ $22 - 2 =$

⓯ $7 - 2 =$

⓰ $43 - 2 =$

⓱ $19 - 2 =$

⓲ $34 - 10 =$

⓳ $20 - 10 =$

⓴ $45 - 10 =$

유아 연산의 기준

정답

칸토의 연산

50까지의 수에서

더하기·빼기 1, 2, 10

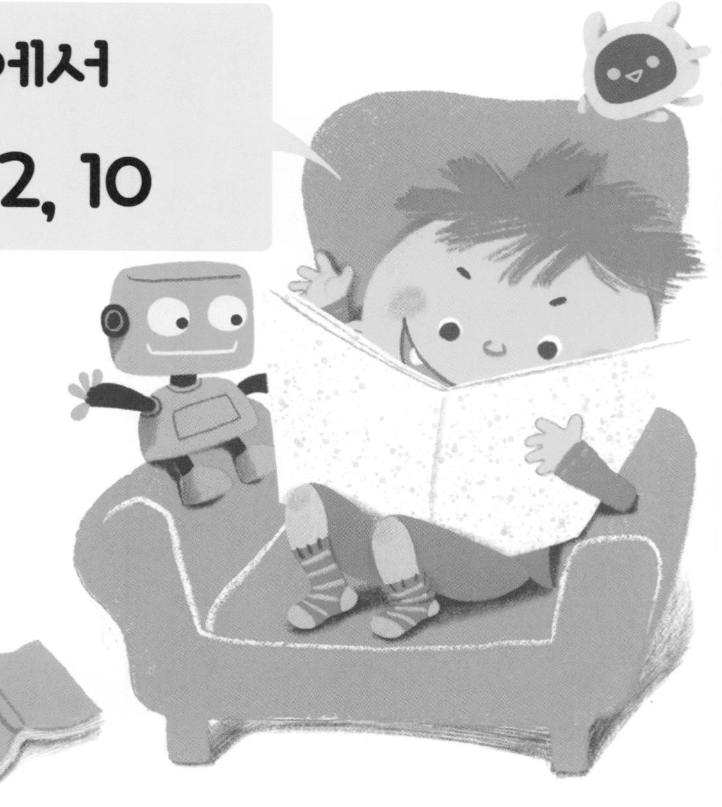

정답

1주: 50까지의 수

8쪽·9쪽

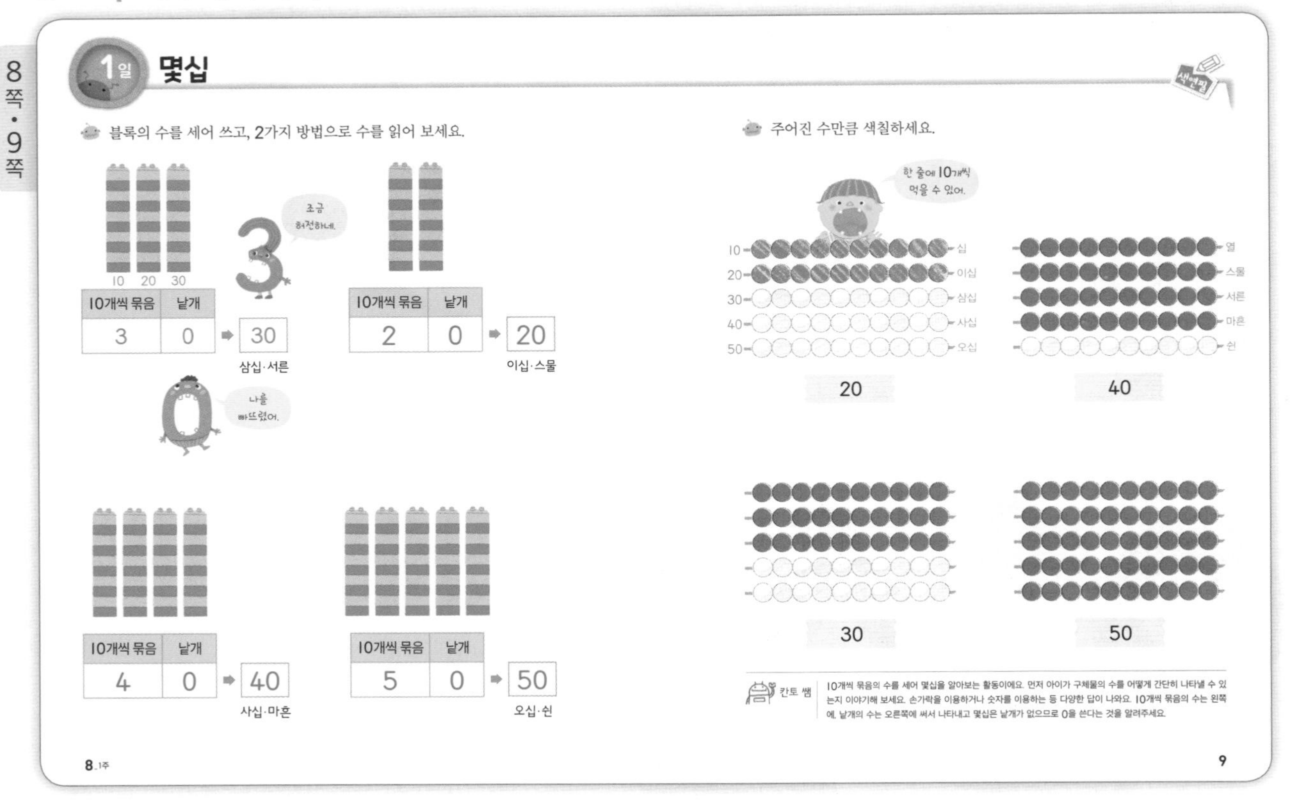

1일 몇십

색칠놀이

블록의 수를 세어 쓰고, 2가지 방법으로 수를 읽어 보세요.

10 20 30

10개씩 묶음	낱개
3	0

➡ 30 삼십·서른

조금 허전하네.

나를 빠뜨렸어.

10개씩 묶음	낱개
2	0

➡ 20 이십·스물

10개씩 묶음	낱개
4	0

➡ 40 사십·마흔

10개씩 묶음	낱개
5	0

➡ 50 오십·쉰

주어진 수만큼 색칠하세요.

한 줄에 10개씩 먹을 수 있어.

10 – 십, 20 – 이십, 30 – 삼십, 40 – 사십, 50 – 오십

20

열, 스물, 서른, 마흔, 쉰

40

30

50

칸토 쌤 | 10개씩 묶음의 수를 세어 몇십을 알아보는 활동이에요. 먼저 아이가 구체물의 수를 어떻게 간단히 나타낼 수 있는지 이야기해 보세요. 손가락을 이용하거나 숫자를 이용하는 등 다양한 답이 나와요. 10개씩 묶음의 수는 왼쪽에, 낱개의 수는 오른쪽에 써서 나타내고 몇십은 낱개가 없으므로 0을 쓴다는 것을 알려주세요.

8 1주 9

10쪽·11쪽

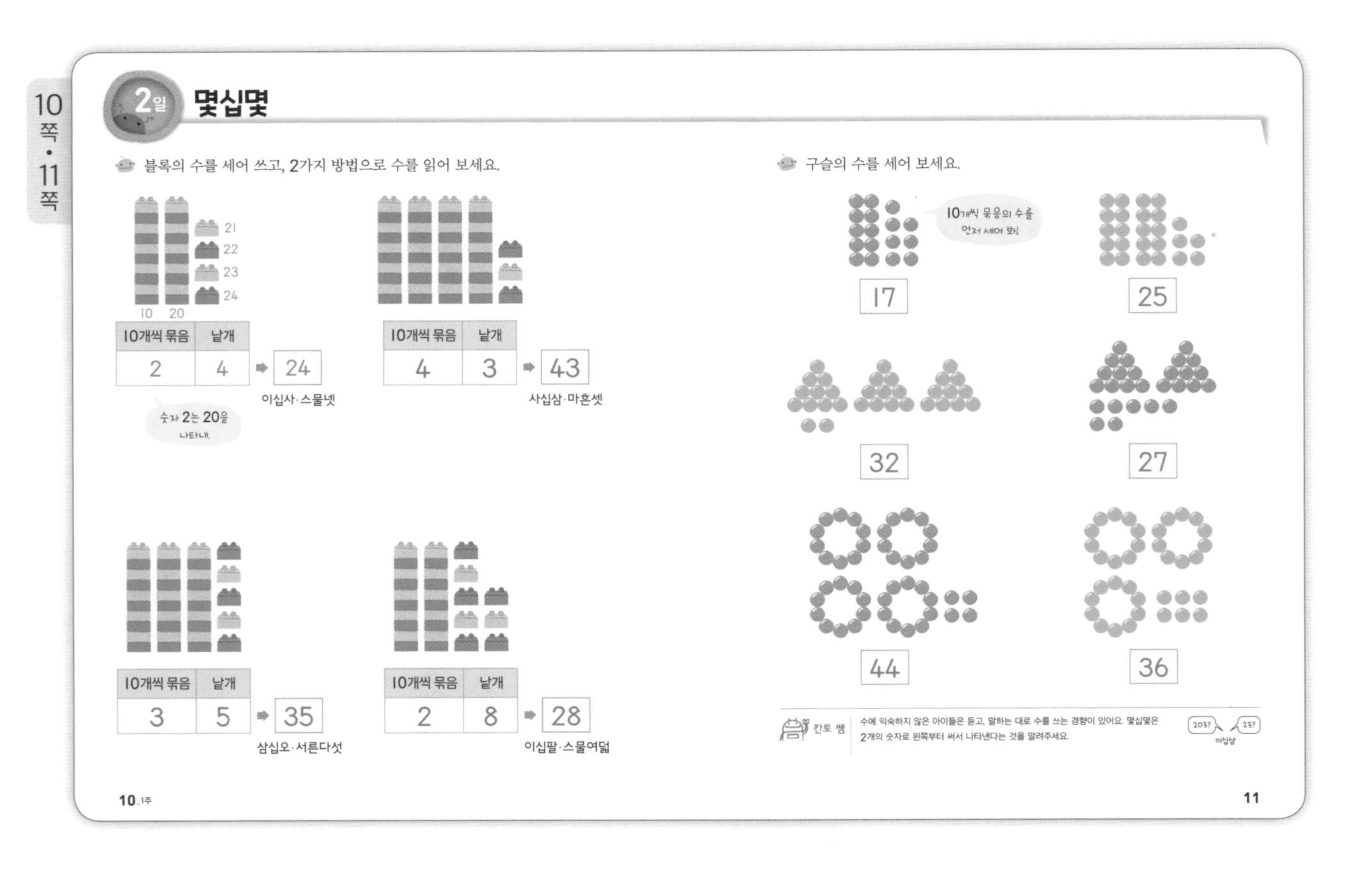

2일 몇십몇

블록의 수를 세어 쓰고, 2가지 방법으로 수를 읽어 보세요.

10 20 21 22 23 24

10개씩 묶음	낱개
2	4

➡ 24 이십사·스물넷

숫자 2는 20을 나타내.

10개씩 묶음	낱개
4	3

➡ 43 사십삼·마흔셋

10개씩 묶음	낱개
3	5

➡ 35 삼십오·서른다섯

10개씩 묶음	낱개
2	8

➡ 28 이십팔·스물여덟

구슬의 수를 세어 보세요.

10개씩 묶음의 수를 먼저 세어 봐!

17

25

32

27

44

36

칸토 쌤 | 수에 익숙하지 않은 아이들은 듣고, 말하는 대로 수를 쓰는 경향이 있어요. 몇십몇은 2개의 숫자로 왼쪽부터 써서 나타낸다는 것을 알려주세요.

203? 23? 이십삼

10 1주 11

12쪽 · 13쪽

3일 몇 개일까요

10개씩 묶어 수를 세어 보세요. 보석은 모두 몇 개일까요?

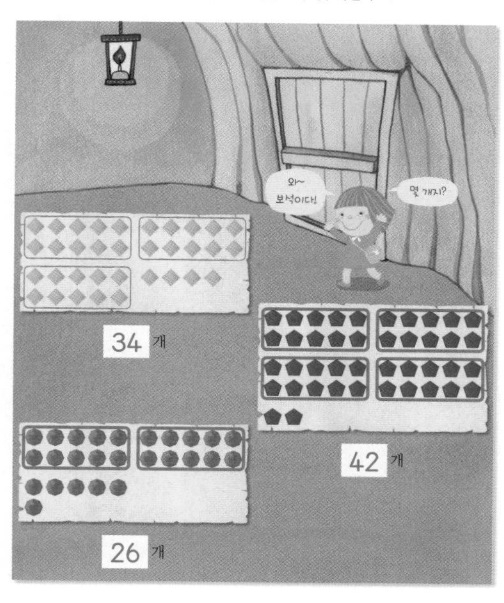

10개씩 묶어 과자의 수를 세어 보세요.

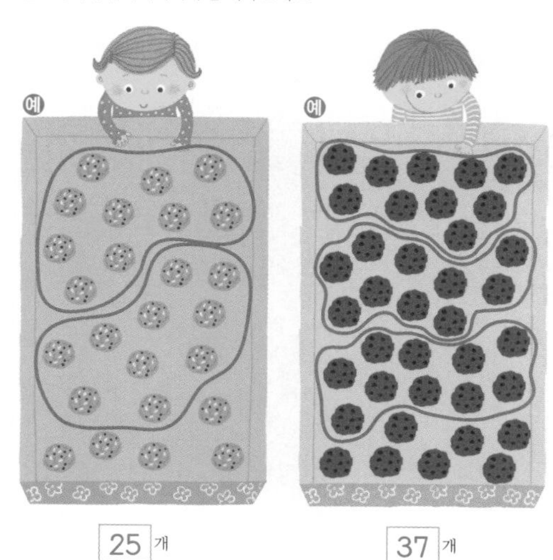

25 개　　37 개

칸토 쌤 | 10개씩 묶어 세기를 통하여 몇십몇을 알아보는 활동이에요. 낱개가 10개 모이면 큰 자리로 나아간다는 십진법의 기초를 쌓으며 수의 구조를 생각해 볼 수 있어요. 장난감, 사탕 등을 이용하여 반복하여 수 세기 연습을 해 주세요. 2개씩, 5개씩 묶어 세는 아이도 있지만 10개씩 세는 것이 편리하다는 것을 깨닫게 될 거예요.

12 1주　　13

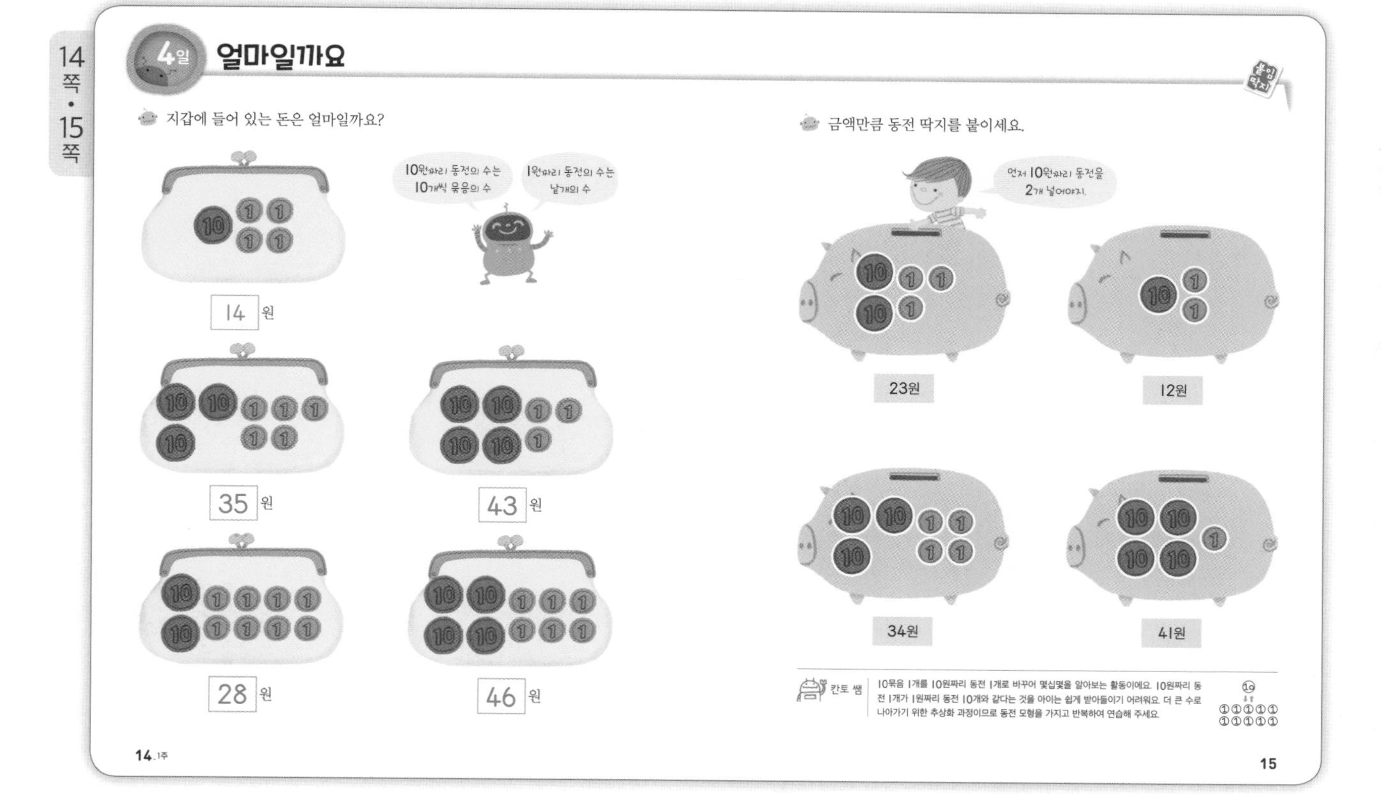

14쪽 · 15쪽

4일 얼마일까요

지갑에 들어 있는 돈은 얼마일까요?

10원짜리 동전의 수는 10개씩 묶음의 수
1원짜리 동전의 수는 낱개의 수

14 원　　35 원　　43 원　　28 원　　46 원

금액만큼 동전 딱지를 붙이세요.

먼저 10원짜리 동전을 2개 넣어야지.

23원　　12원　　34원　　41원

칸토 쌤 | 10묶음 1개를 10원짜리 동전 1개로 바꾸어 몇십몇을 알아보는 활동이에요. 10원짜리 동전 1개가 1원짜리 동전 10개와 같다는 것을 아이는 쉽게 받아들이기 어려워요. 더 큰 수로 나아가기 위한 추상화 과정이므로 동전 모형을 가지고 반복하여 연습해 주세요.

14 1주　　15

16쪽·17쪽

5일 50까지의 수 배열표

순서에 맞게 빈칸에 알맞은 수를 쓰세요.

1씩 커져요 / 10씩 커져요

1	2	3	4	5	6	7	8	9	10
11	12	13	14	15	16	17	18	19	20
21	22	23	24	25	26	27	28	29	30
31	32	33	34	35	36	37	38	39	40
41	42	43	44	45	46	47	48	49	50

사물함이 열려 있네. / 몇 번이지?

1씩 작아져요 / 10씩 작아져요

1	2	3	4	5	6	7	8	9	10
11	12	13	14	15	16	17	18	19	20
21	22	23	24	25	26	27	28	29	30
31	32	33	34	35	36	37	38	39	40
41	42	43	44	45	46	47	48	49	50

수 배열표의 일부분이에요. 빈칸에 알맞은 수를 쓰세요.

23	24	25	26	27

7
17
27
37
47

11	12	13
21	22	23

32	33	34	35	36	37	38
42	43	44	45	46	47	48

칸토 쌤 | 50까지의 수 배열표의 규칙을 찾고 이를 이용하여 빈칸을 채우는 활동이에요. 수 배열표는 수의 계열과 구조를 한눈에 파악할 수 있게 해 주고, 덧셈과 뺄셈 공부도 할 수 있어 연산 학습에 매우 유용한 도구예요. 아이와 수 배열표를 오려 퍼즐 맞추기를 해 보며 50까지의 수를 익혀 보세요.

18쪽

확인학습

구슬의 개수와 동전의 금액을 각각 쓰세요.

36 개   42 원

수 배열표의 일부분이에요. 빈칸에 알맞은 수를 쓰세요.

23	24
33	34
43	44

27	28	29	30
37	38	39	40

→ 7쪽으로 돌아가 1주 차 학습 기준을 달성했는지 체크해 보세요.

1주

2주: 수의 순서와 뛰어 세기

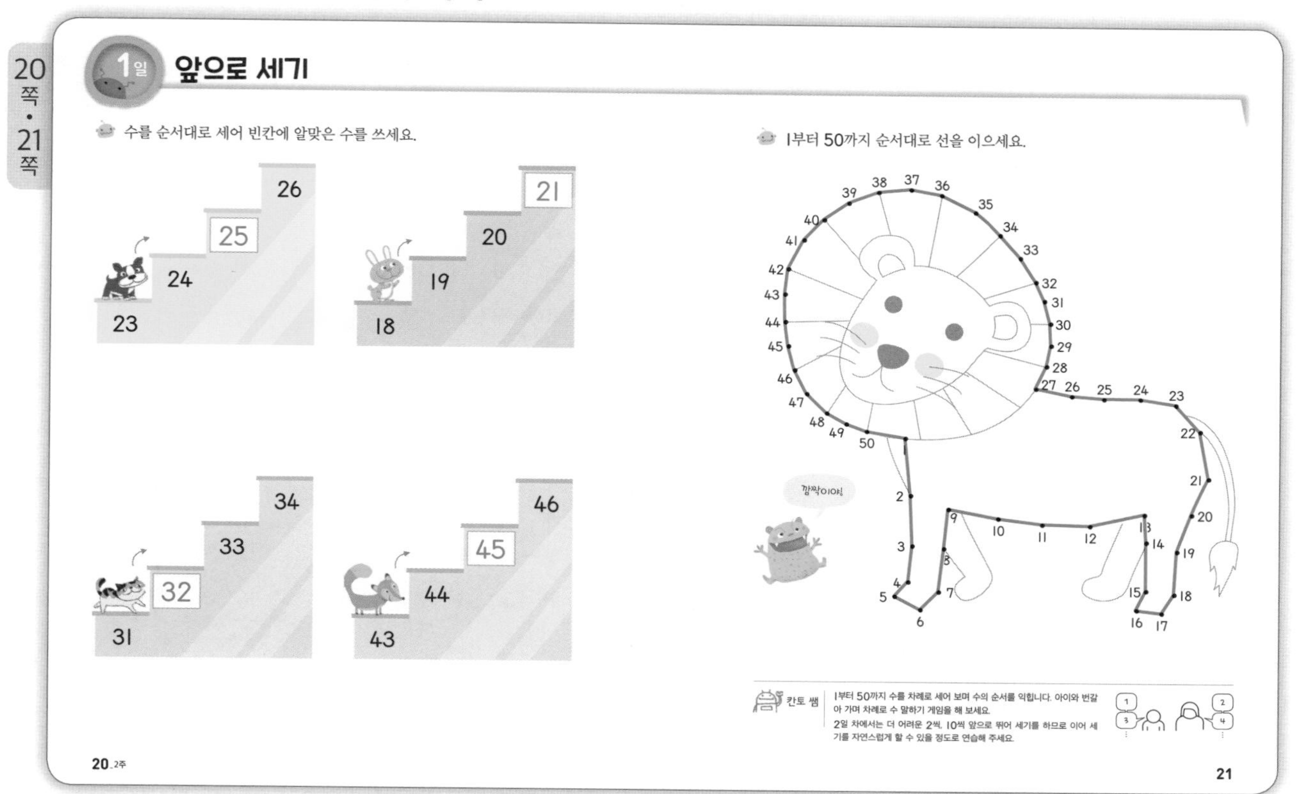

20쪽·21쪽

1일 앞으로 세기

수를 순서대로 세어 빈칸에 알맞은 수를 쓰세요.

1부터 50까지 순서대로 선을 이으세요.

칸토 쌤 | 1부터 50까지 수를 차례로 세어 보며 수의 순서를 익힙니다. 아이와 번갈아 가며 차례로 수 말하기 게임을 해 보세요.
2일 차에서는 더 어려운 2씩, 10씩 앞으로 뛰어 세기를 하므로 이어 세기를 자연스럽게 할 수 있을 정도로 연습해 주세요.

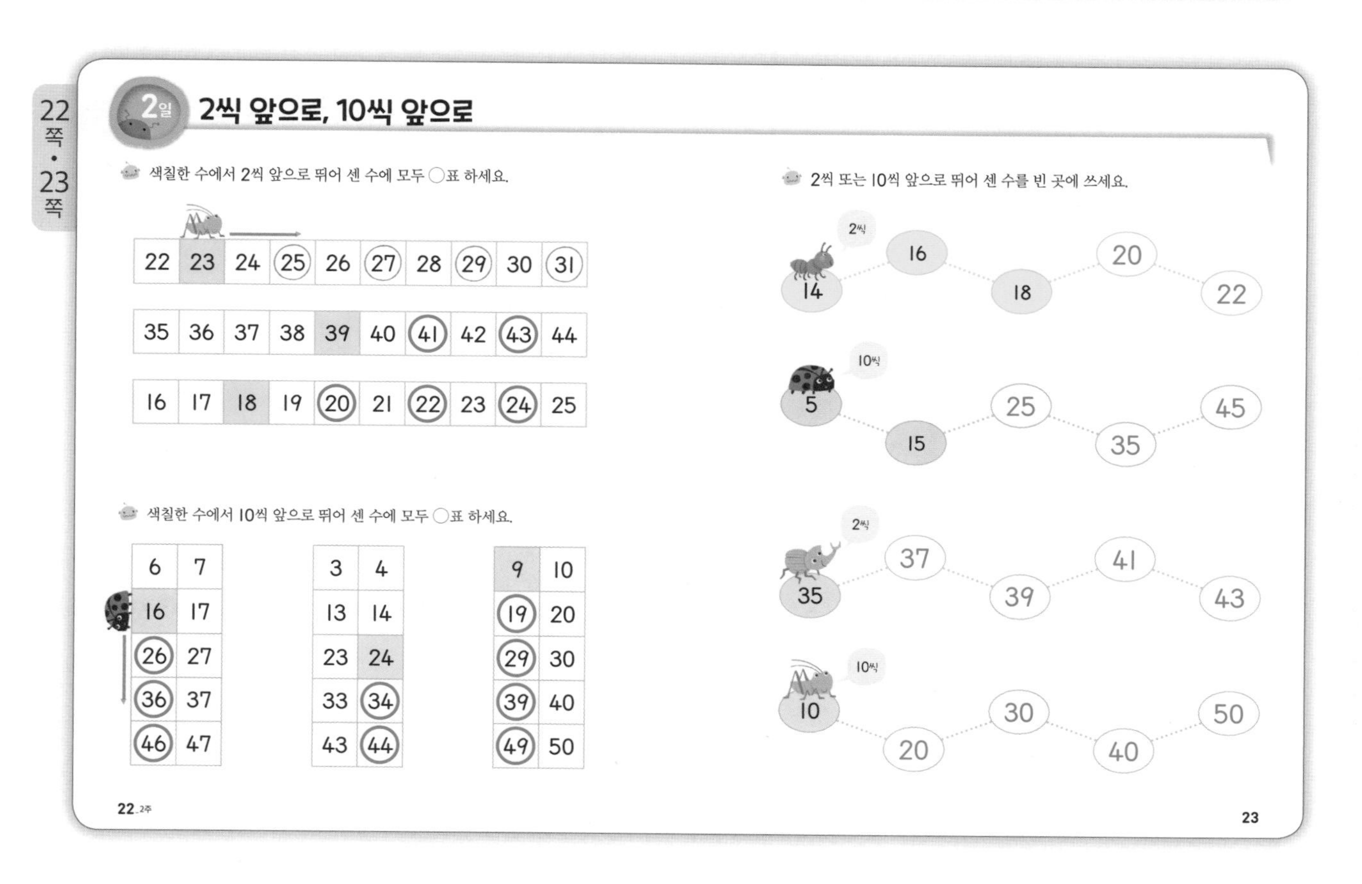

22쪽·23쪽

2일 2씩 앞으로, 10씩 앞으로

색칠한 수에서 2씩 앞으로 뛰어 센 수에 모두 ◯표 하세요.

22	23	24	25	26	27	28	29	30	31
35	36	37	38	39	40	41	42	43	44
16	17	18	19	20	21	22	23	24	25

색칠한 수에서 10씩 앞으로 뛰어 센 수에 모두 ◯표 하세요.

6	7
16	17
26	27
36	37
46	47

3	4
13	14
23	24
33	34
43	44

9	10
19	20
29	30
39	40
49	50

2씩 또는 10씩 앞으로 뛰어 센 수를 빈 곳에 쓰세요.

24쪽 · 25쪽

3일 거꾸로 세기

수를 거꾸로 세어 빈칸에 알맞은 수를 쓰세요.

25 → 24 → 23 → 22

38 → 37 → 36 → 35

30 → 29 → 28 → 27

42 → 41 → 40 → 39

수를 거꾸로 세어 미로를 빠져 나가세요.

25	26	27	20
24	20	19	18
23	22	21	22
21	19	20	21

31	30	27	26
26	29	28	29
25	26	27	25
24	23	21	23

41	45	44	47
43	44	45	46
42	41	40	38
29	30	39	37

35	37	38	36
34	36	39	40
32	35	34	30
34	31	33	32

칸토 쌤 50부터 1까지 수를 거꾸로 세어 보며 50까지의 수를 익힙니다. 앞으로 세기에 익숙한 아이들이 거꾸로 세기를 어려워하는 건 당연해요. 요리를 할 때나 횡단보도를 건널 때 등 생활 속에서 아이와 소리 내어 수를 거꾸로 세기 연습을 해 주세요.

30, 29, 28, 27, ……

24 2주 　 25

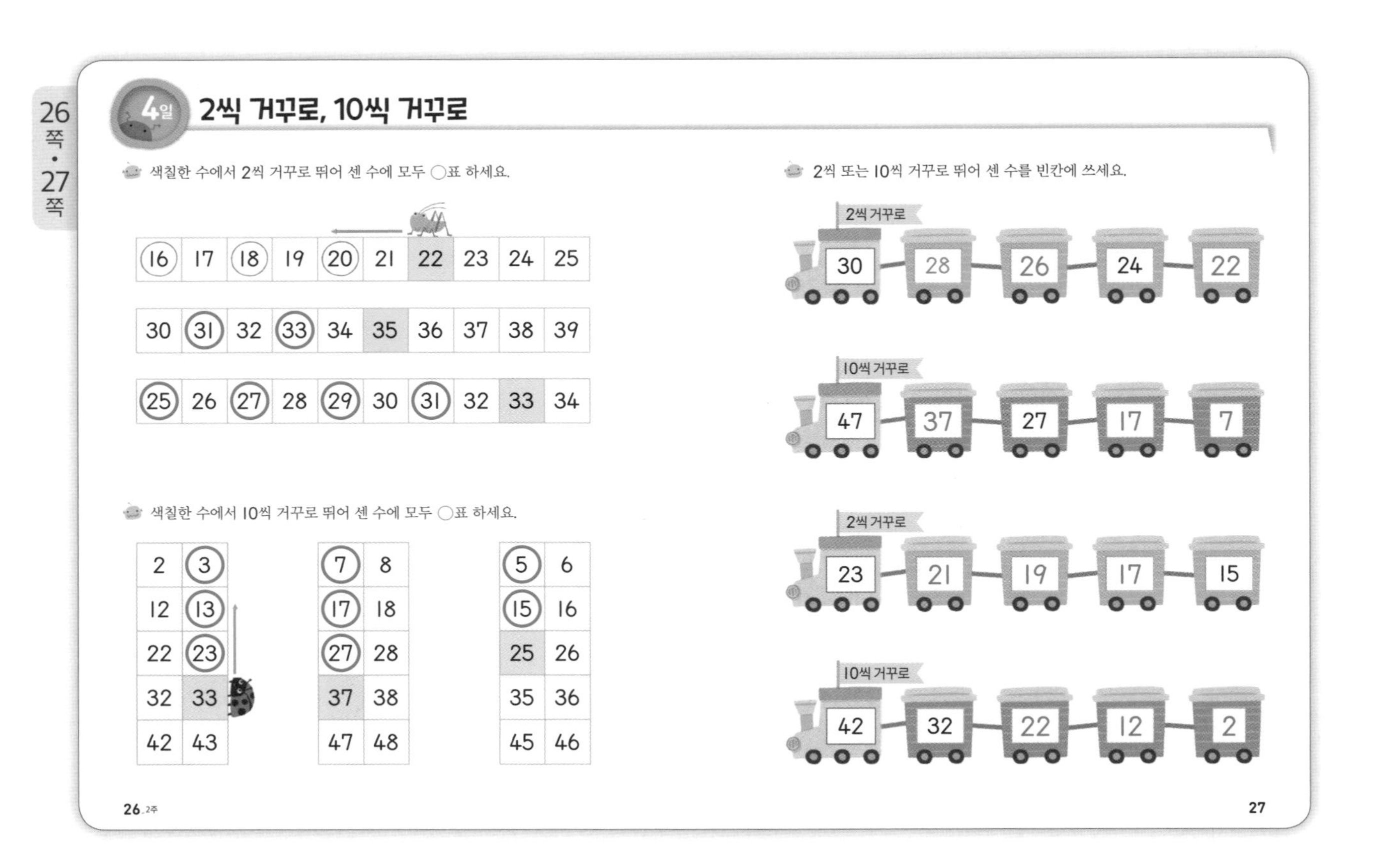

26쪽 · 27쪽
4일 2씩 거꾸로, 10씩 거꾸로
색칠한 수에서 2씩 거꾸로 뛰어 센 수에 모두 ○표 하세요.
16 17 18 19 20 21 22 23 24 25
30 31 32 33 34 35 36 37 38 39
25 26 27 28 29 30 31 32 33 34
색칠한 수에서 10씩 거꾸로 뛰어 센 수에 모두 ○표 하세요.
2 3 12 13 22 23 32 33 42 43
7 8 17 18 27 28 37 38 47 48
5 6 15 16 25 26 35 36 45 46
2씩 또는 10씩 거꾸로 뛰어 센 수를 빈칸에 쓰세요.
2씩 거꾸로 30 28 26 24 22
10씩 거꾸로 47 37 27 17 7
2씩 거꾸로 23 21 19 17 15
10씩 거꾸로 42 32 22 12 2
26 2주
27

28쪽 · 29쪽

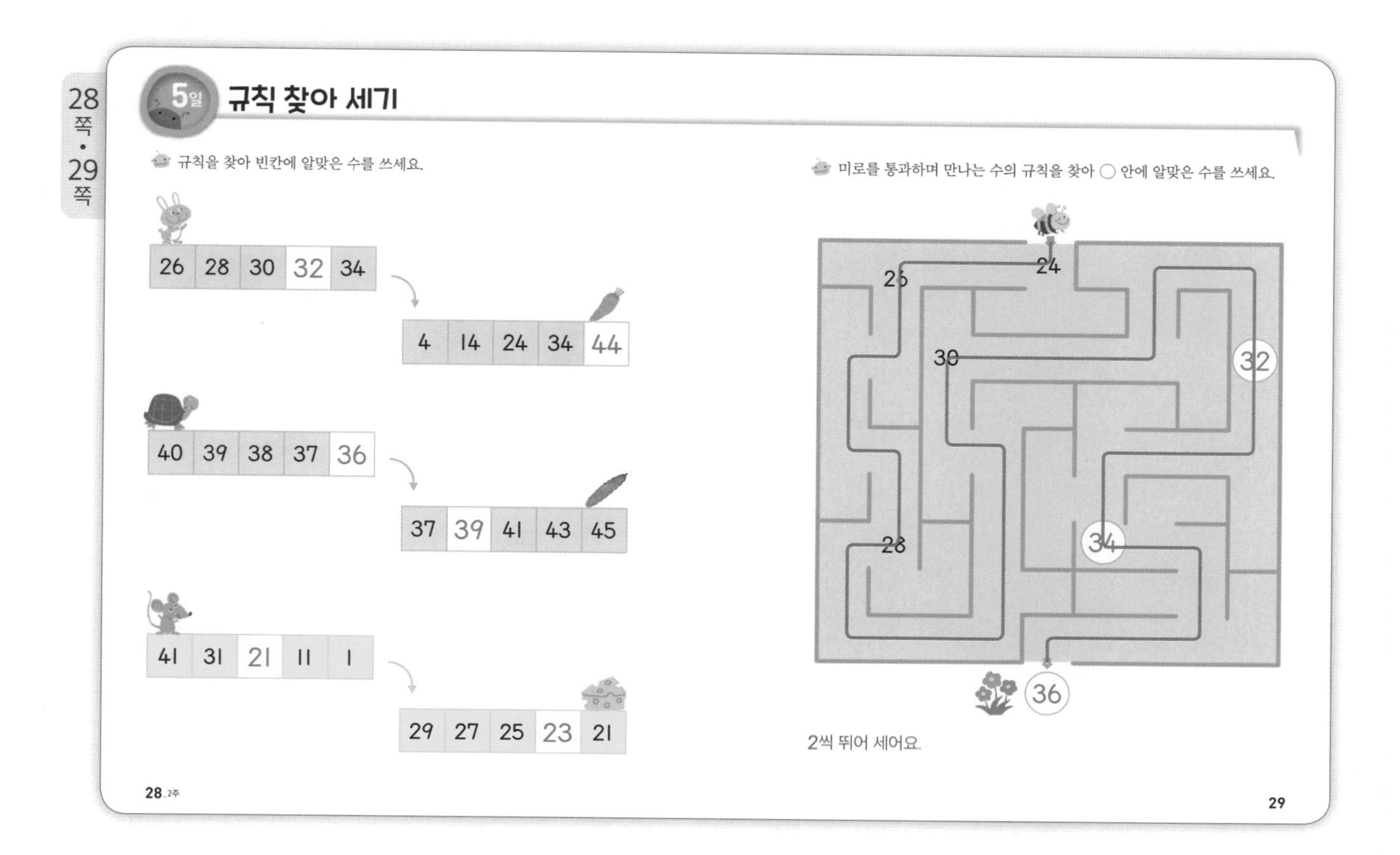

5일 규칙 찾아 세기

규칙을 찾아 빈칸에 알맞은 수를 쓰세요.

26	28	30	32	34

4	14	24	34	44

40	39	38	37	36

37	39	41	43	45

41	31	21	11	1

29	27	25	23	21

미로를 통과하며 만나는 수의 규칙을 찾아 ◯ 안에 알맞은 수를 쓰세요.

2씩 뛰어 세어요.

28 2주

29

30쪽

확인학습

앞으로 또는 거꾸로 뛰어 센 수를 각각 빈 곳에 쓰세요.

규칙을 찾아 빈칸에 알맞은 수를 쓰세요.

16	18	20	22	24

50	40	30	20	10

⇒ 19쪽으로 돌아가 2주 차 학습 기준을 달성했는지 체크해 보세요.

30 2주

정답

3주: 50까지의 수에서 더하기·빼기 1, 2

32쪽 · 33쪽

1일 1 큰 수, 1 작은 수

1원짜리 동전을 1개 더 붙이고, 1 큰 수를 쓰세요.

1 큰 수: 24　　1 큰 수: 42

1원짜리 동전을 1개 지우고, 1 작은 수를 쓰세요.

1 작은 수: 25　　1 작은 수: 30

개구리에 적힌 수보다 1 큰 수와 1 작은 수를 각각 찾아 선으로 이으세요.

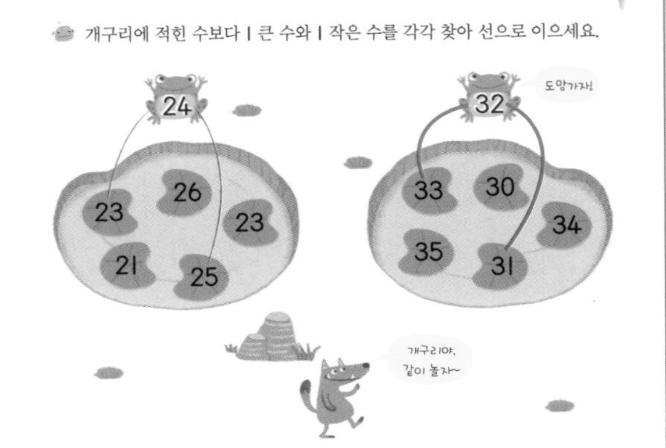

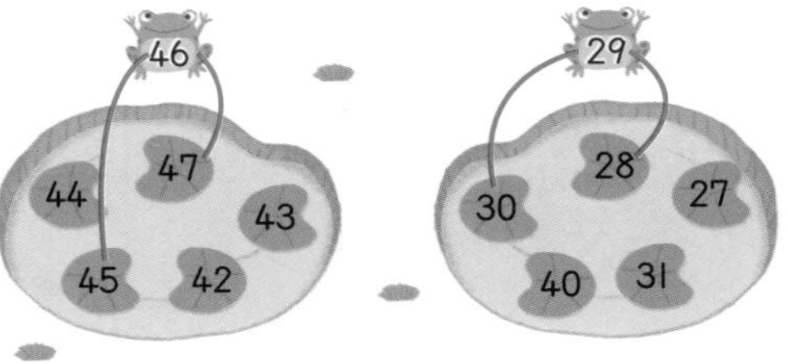

34쪽 · 35쪽

2일 더하기 1, 빼기 1

화살표를 그려 더하기 1, 빼기 1을 계산하세요.

38 39 40 41 42

39 + 1 = 40

더하기 1은 오른쪽으로 1칸

23 24 25 26 27

25 − 1 = 24

빼기 1은 왼쪽으로 1칸

40 41 42 43 44

43 + 1 = 44

33 34 35 36 37

34 − 1 = 33

26 27 28 29 30

28 + 1 = 29

38 39 40 41 42

40 − 1 = 39

1 큰 수와 1 작은 수를 쓰고, 더하기 1, 빼기 1을 계산하세요.

25 ··· 26 ··· 27 (1 작은 수, 1 큰 수)

26 − 1 = 25
26 + 1 = 27

31 ··· 32 ··· 33 (1 작은 수, 1 큰 수)

32 − 1 = 31
32 + 1 = 33

48 ··· 49 ··· 50 (1 작은 수, 1 큰 수)

49 − 1 = 48
49 + 1 = 50

37 ··· 38 ··· 39 (1 작은 수, 1 큰 수)

38 − 1 = 37
38 + 1 = 39

칸토 쌤: 앞에서 학습한 1 큰 수, 1 작은 수를 기초로 하여 더하기 1, 빼기 1을 공부해요. 동전과 수 배열표를 이용하면 큰 수의 덧셈과 뺄셈도 어렵지 않게 할 수 있음을 느끼며 연산에 대한 자신감을 가질 수 있도록 도와주세요.

1 큰 수 → 더하기 1　　1 작은 수 → 빼기 1

36쪽·37쪽

3일 2 큰 수, 2 작은 수

1원짜리 동전을 2개 더 붙이고, 2 큰 수를 쓰세요.

25   27

41 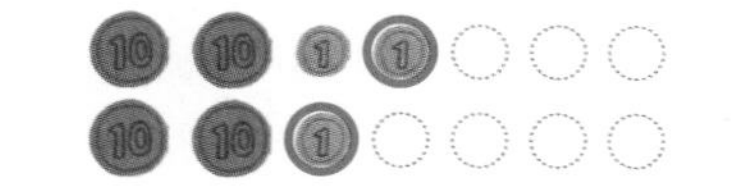 43

1원짜리 동전을 2개 지우고, 2 작은 수를 쓰세요.

46   44

35  33

2 큰 수와 2 작은 수를 쓰세요.

38쪽·39쪽

4일 더하기 2, 빼기 2

화살표를 그려 더하기 2, 빼기 2를 계산하세요.

25 26 27 28 29

27 + 2 = 29

더하기 2는 오른쪽으로 2칸

37 38 39 40 41

39 − 2 = 37

빼기 2는 왼쪽으로 2칸

17 18 19 20 21

19 + 2 = 21

43 44 45 46 47

45 − 2 = 43

26 27 28 29 30

28 + 2 = 30

29 30 31 32 33

31 − 2 = 29

2 큰 수와 2 작은 수를 쓰고, 더하기 2 빼기 2를 계산하세요.

35 ··· 37 ··· 39 (2 작은 수, 2 큰 수)

37 − 2 = 35

37 + 2 = 39

20 ··· 22 ··· 24 (2 작은 수, 2 큰 수)

22 − 2 = 20

22 + 2 = 24

44 ··· 46 ··· 48 (2 작은 수, 2 큰 수)

46 − 2 = 44

46 + 2 = 48

37 ··· 39 ··· 41 (2 작은 수, 2 큰 수)

39 − 2 = 37

39 + 2 = 41

칸토 쌤: 앞에서 학습한 2 큰 수, 2 작은 수를 기초로 하여 더하기 2, 빼기 2를 공부해요. 더하기 1, 빼기 1보다 한 번 더 1을 더하고 빼야 해서 아이가 어려워해요. 주어진 수보다 '1 큰 수, 또 1 큰 수(다음 다음 수)'와 같이 수 세기를 차근차근히 할 수 있게 도와주세요.

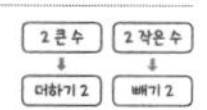

40쪽·41쪽

5일 더하기·빼기 1, 2 연습

계산에 맞는 열쇠 딱지를 찾아 문 위에 붙이세요.

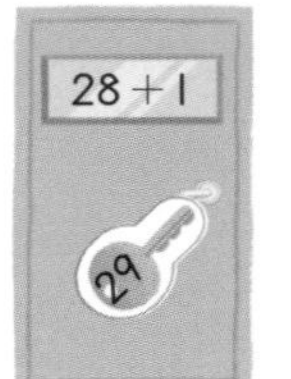

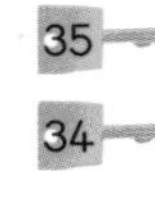

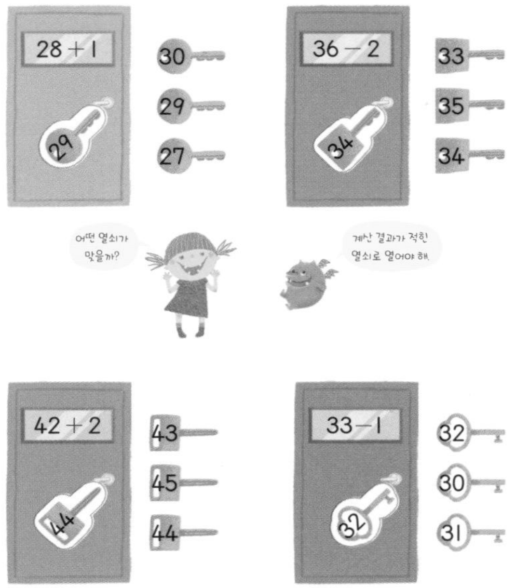

28 + 1
30
29
27
29
36 − 2
33
35
34
34
어떤 열쇠가 맞을까?
계산 결과가 적힌 열쇠로 열어야 해
42 + 2
43
45
44
44
33 − 1
32
30
31
32

계산을 하세요.

24 + 1 = 25　　33 − 2 = 31

15 + 2 = 17　　40 − 1 = 39

37 − 2 = 35　　28 + 2 = 30

43 + 2 = 45　　39 − 1 = 38

$$\begin{array}{r} 34 \\ +\ \ 2 \\ \hline 36 \end{array} \qquad \begin{array}{r} 46 \\ -\ \ 1 \\ \hline 45 \end{array} \qquad \begin{array}{r} 30 \\ +\ \ 2 \\ \hline 32 \end{array}$$

42쪽

확인학습

화살표를 그려 덧셈과 뺄셈을 하세요.

25 26 27 28 29

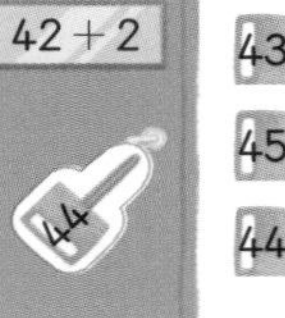

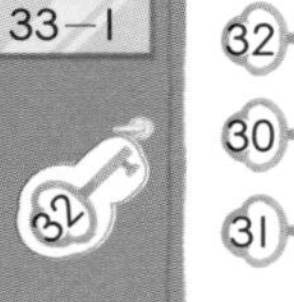

27 + 1 = 28

31 32 33 34 35

33 − 1 = 32

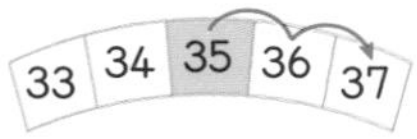

33 34 35 36 37

35 + 2 = 37

46 47 48 49 50

48 − 2 = 46

계산을 하세요.

14 − 2 = 12　　37 + 1 = 38

25 + 2 = 27　　41 − 1 = 40

→ 31쪽으로 돌아가 3주 차 학습 기준을 달성했는지 체크해 보세요.

3주

4주: 50까지의 수에서 더하기·빼기 1, 2, 10

44쪽 · 45쪽

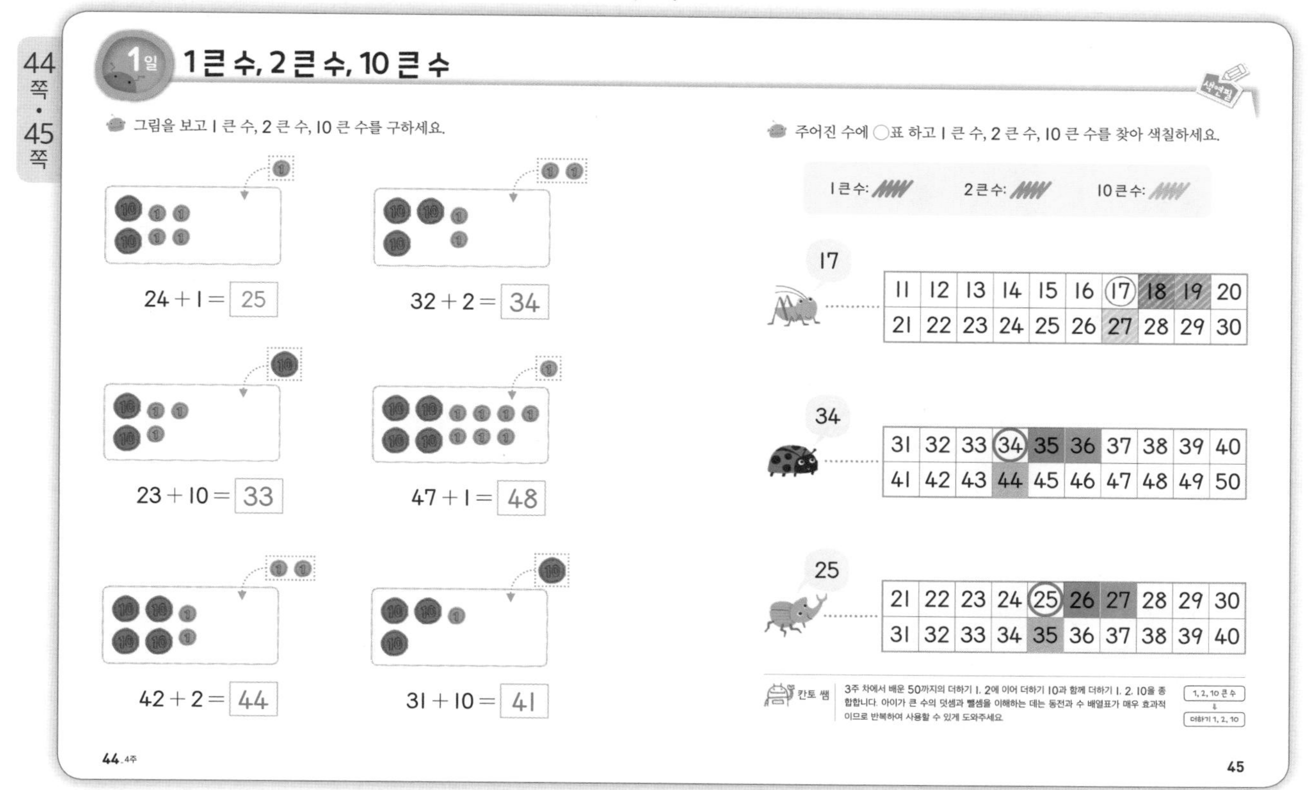

46쪽 · 47쪽

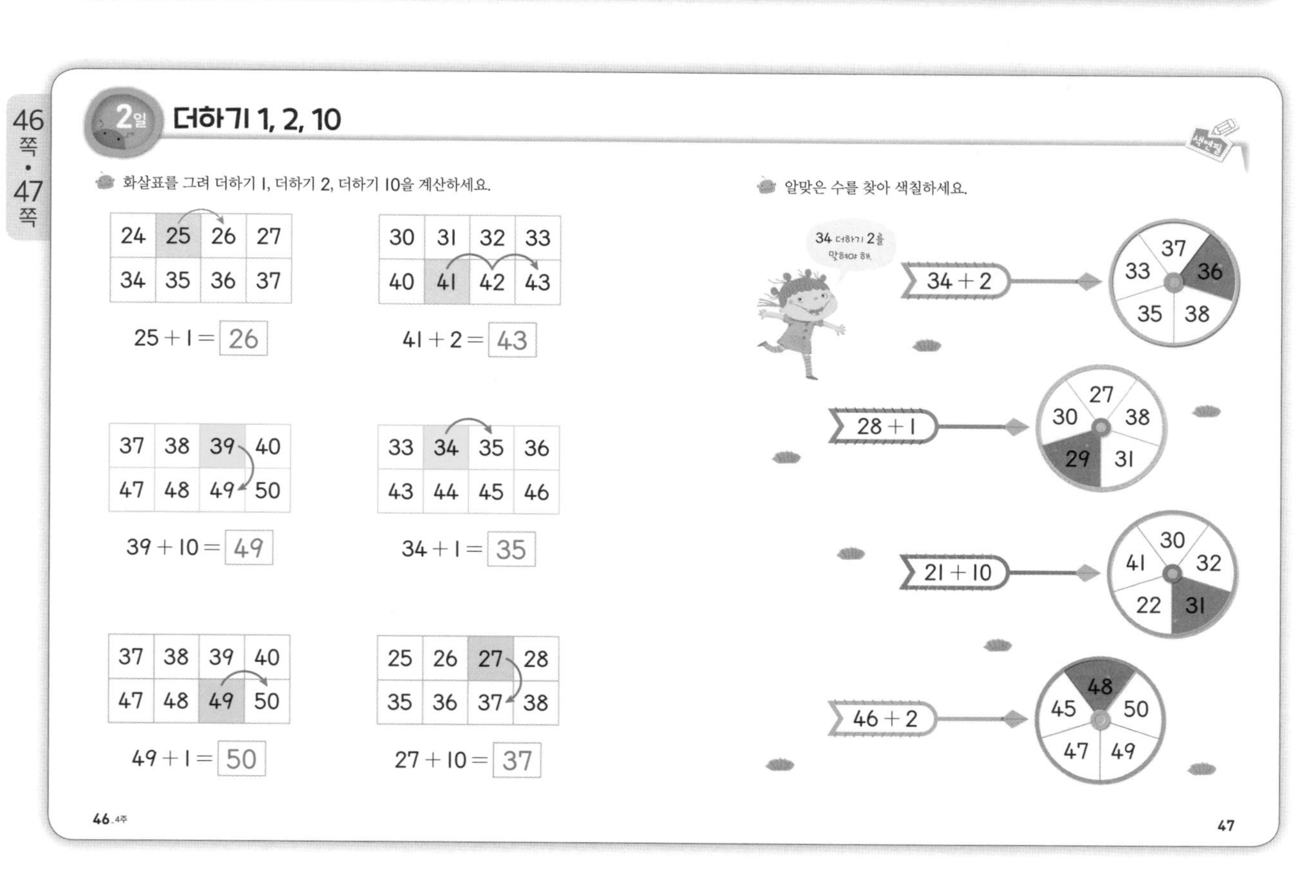

2일 더하기 1, 2, 10
화살표를 그려 더하기 1, 더하기 2, 더하기 10을 계산하세요.
25 + 1 = 26
41 + 2 = 43
39 + 10 = 49
34 + 1 = 35
49 + 1 = 50
27 + 10 = 37
알맞은 수를 찾아 색칠하세요.
34 더하기 2를 맞혀야 해.
34 + 2
28 + 1
21 + 10
46 + 2
46 4주
47

48쪽·49쪽

3일 1 작은 수, 2 작은 수, 10 작은 수

그림을 보고 1 작은 수, 2 작은 수, 10 작은 수를 구하세요.

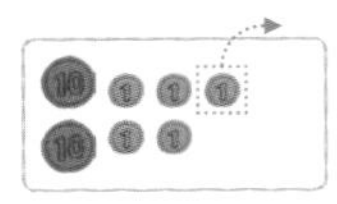

25 − 1 = 24

33 − 2 = 31

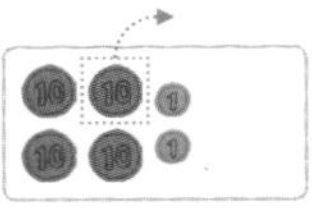

42 − 10 = 32

28 − 2 = 26

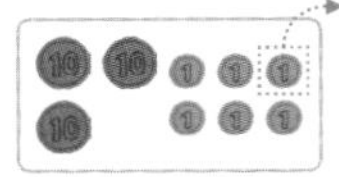

36 − 1 = 35

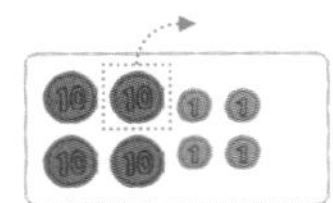

44 − 10 = 34

주어진 수에 ◯표 하고 1 작은 수, 2 작은 수, 10 작은 수를 찾아 알맞게 색칠하세요.

1 작은 수: ▨ 2 작은 수: ▨ 10 작은 수: ▨

38

21	22	23	24	25	26	27	28	29	30
31	32	33	34	35	36	37	(38)	39	40

25

11	12	13	14	15	16	17	18	19	20
21	22	23	24	(25)	26	27	28	29	30

46

31	32	33	34	35	36	37	38	39	40
41	42	43	44	45	(46)	47	48	49	50

칸토 쌤 | 3주 차에서 배운 50까지의 빼기 1, 2에 이어 빼기 10과 함께 빼기 1, 2, 10을 종합합니다. 7세 4권에서는 받아올림이 없는 (두 자리 수)±(한 자리 수)를 배워요. 동전과 수 배열표는 계속 사용되므로 더하기·빼기 1, 2, 10을 능숙하게 할 수 있도록 연습해 주세요.

1, 2, 10 작은 수 → 빼기 1, 2, 10

50쪽·51쪽

4일 빼기 1, 2, 10

화살표를 그려 빼기 1, 빼기 2, 빼기 10을 계산하세요.

21	22	23	24
31	32	33	34

23 − 1 = 22

27	28	29	30
37	38	39	40

39 − 2 = 37

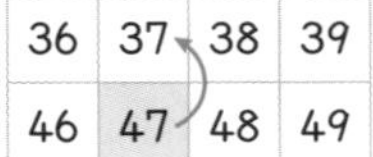

36	37	38	39
46	47	48	49

47 − 10 = 37

22	23	24	25
32	33	34	35

35 − 1 = 34

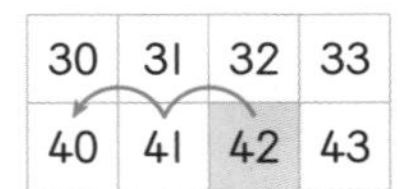

30	31	32	33
40	41	42	43

42 − 2 = 40

15	16	17	18
25	26	27	28

26 − 10 = 16

뺄셈을 하여 ◯ 안에 알맞은 수를 쓰세요.

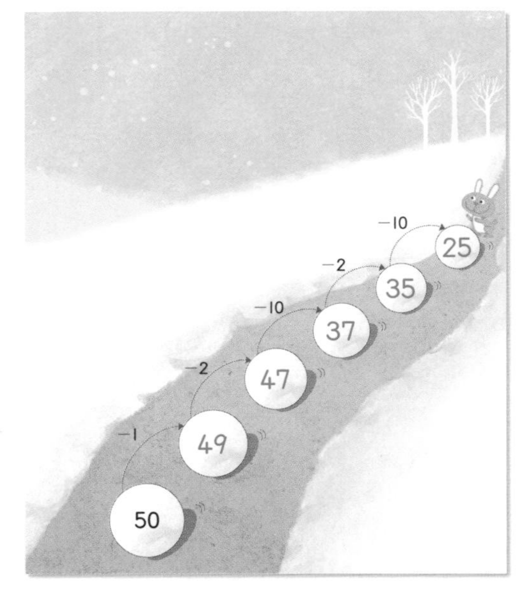

52쪽·53쪽

5일 더하기·빼기 1, 2, 10 연습

계산 결과에 맞게 길을 그리세요.

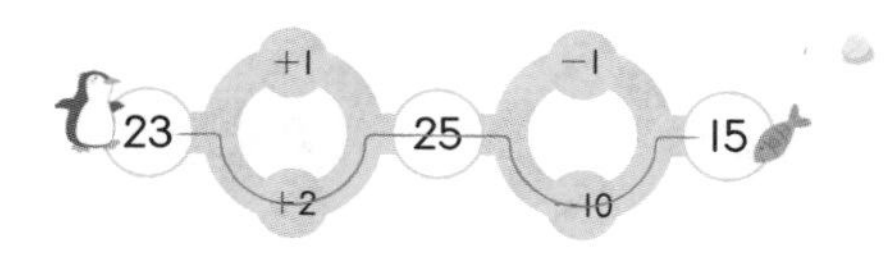

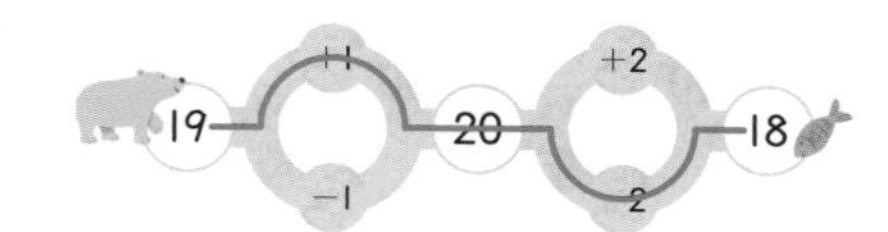

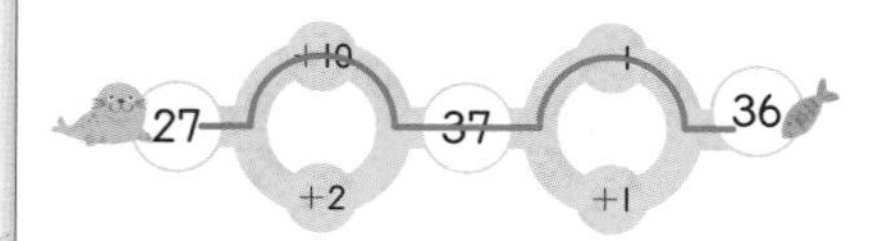

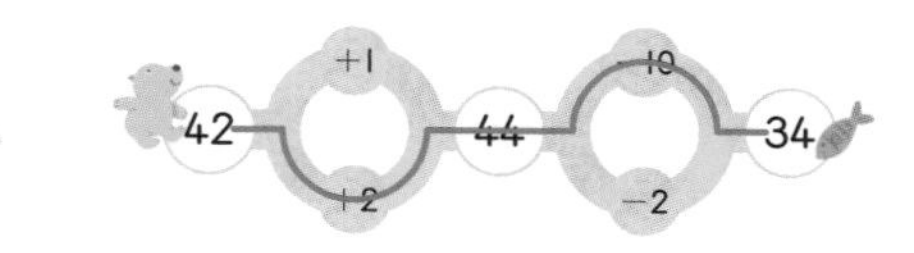

계산을 하세요.

32 − 2 = 30

26 + 10 = 36

44 + 2 = 46

37 − 1 = 36

28 + 1 = 29

49 − 10 = 39

11 + 10 = 21

23 + 2 = 25

$$\begin{array}{r} 46 \\ -\ \ 2 \\ \hline 44 \end{array} \qquad \begin{array}{r} 24 \\ +\ \ 1 \\ \hline 25 \end{array} \qquad \begin{array}{r} 33 \\ -10 \\ \hline 23 \end{array}$$

54쪽·55쪽

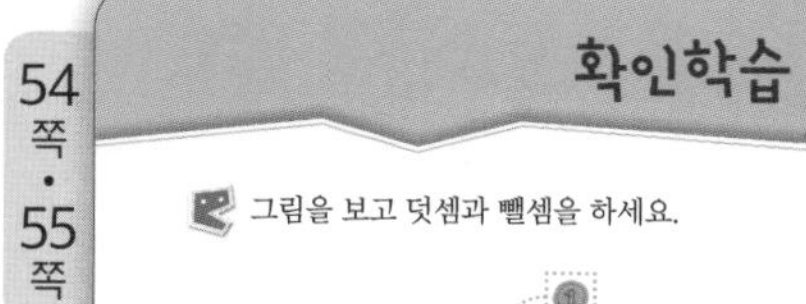

확인학습

그림을 보고 덧셈과 뺄셈을 하세요.

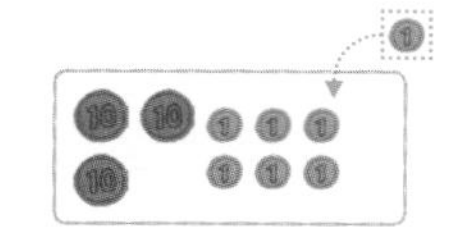

36 + 1 = 37

42 − 10 = 32

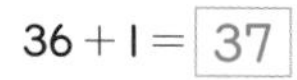

화살표를 그려 덧셈과 뺄셈을 하세요.

11	12	13	14
21	22	23	24

23 − 2 = 21

37	38	39	40
47	48	49	50

39 + 10 = 49

계산을 하세요.

$$\begin{array}{r} 32 \\ +\ \ 1 \\ \hline 33 \end{array} \qquad \begin{array}{r} 24 \\ -10 \\ \hline 14 \end{array} \qquad \begin{array}{r} 45 \\ +\ \ 2 \\ \hline 47 \end{array}$$

⇒ 43쪽으로 돌아가 4주 차 학습 기준을 달성했는지 체크해 보세요.

4주

정답

마무리 평가

56쪽·57쪽

마무리 평가 1회

맞은 개수 개 (8개)

블록의 수를 쓰고, 2가지 방법으로 수를 읽어 보세요.

❶

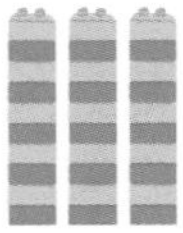

10개씩 묶음	낱개
3	0

➡ 30

삼십·서른

❷

10개씩 묶음	낱개
2	5

➡ 25

이십오·스물다섯

수를 순서대로 세어 빈칸에 알맞은 수를 쓰세요.

❸ 31, 32, 33, 34

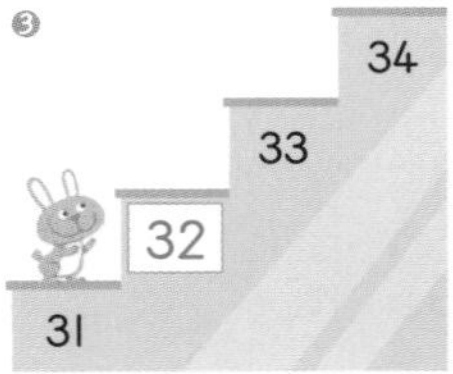

❹ 43, 44, 45, 46

1원짜리 동전을 1개 더 그리거나 지워, 1 큰 수와 1 작은 수를 쓰세요.

❺ 32 — 1 큰 수: 33

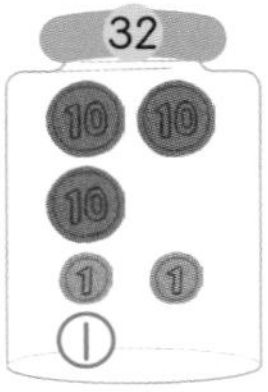

❻ 41 — 1 작은 수: 40

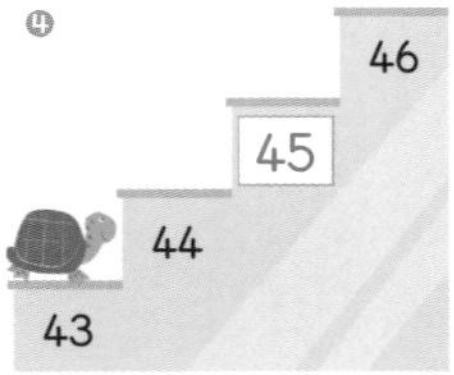

그림을 보고 덧셈을 하세요.

❼ 25 + 10 = 35

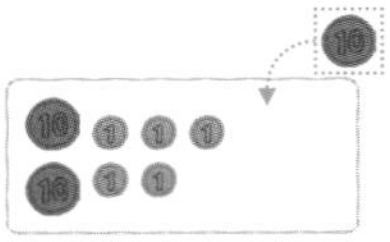

❽ 44 + 2 = 46

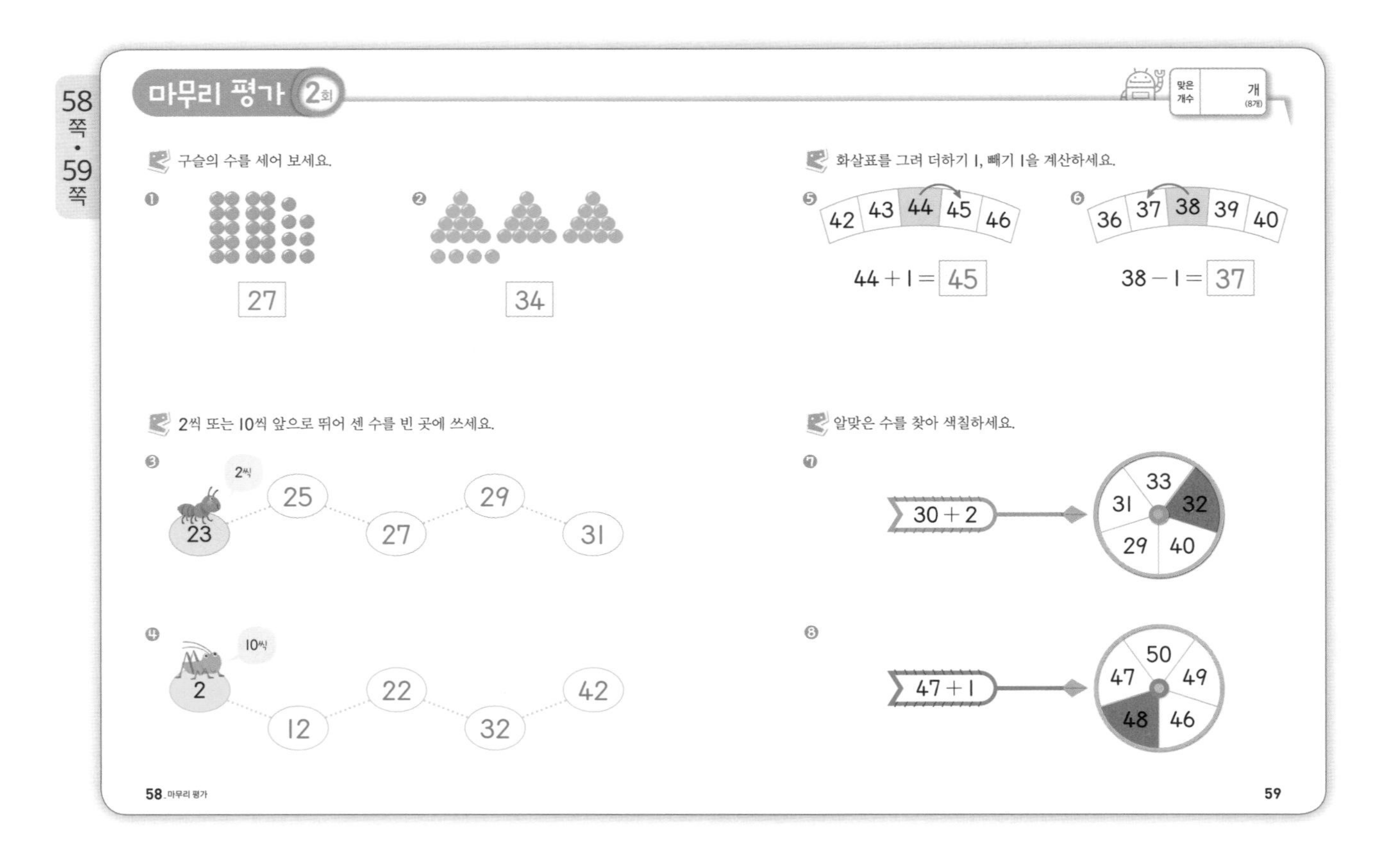

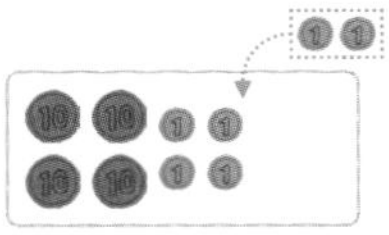

58쪽·59쪽

마무리 평가 2회

맞은 개수 개 (8개)

구슬의 수를 세어 보세요.

❶ 27

❷ 34

화살표를 그려 더하기 1, 빼기 1을 계산하세요.

❺ 42 43 44 45 46

44 + 1 = 45

❻ 36 37 38 39 40

38 − 1 = 37

2씩 또는 10씩 앞으로 뛰어 센 수를 빈 곳에 쓰세요.

❸ 2씩: 23, 25, 27, 29, 31

❹ 10씩: 2, 12, 22, 32, 42

알맞은 수를 찾아 색칠하세요.

❼ 30 + 2 ➡ 33, 32, 40, 29, 31 (32에 색칠)

❽ 47 + 1 ➡ 50, 49, 46, 48, 47 (48에 색칠)

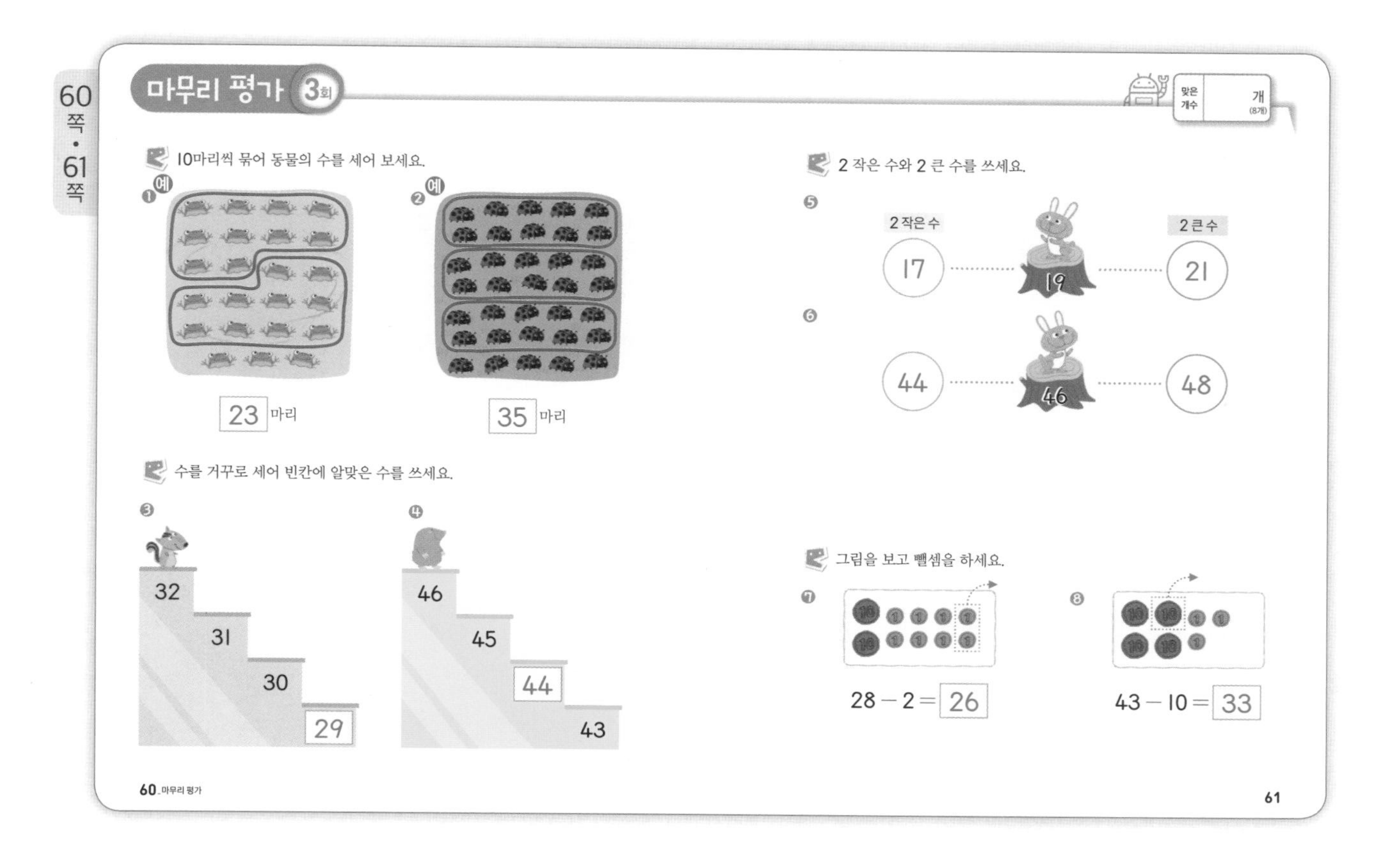

60쪽·61쪽
마무리 평가 3회
맞은 개수 개 (8개)
10마리씩 묶어 동물의 수를 세어 보세요.
❶ 예 23 마리
❷ 예 35 마리
수를 거꾸로 세어 빈칸에 알맞은 수를 쓰세요.
❸ 32 31 30 29
❹ 46 45 44 43
2 작은 수와 2 큰 수를 쓰세요.
❺ 2 작은 수 17 19 2 큰 수 21
❻ 44 46 48
그림을 보고 뺄셈을 하세요.
❼ 28 − 2 = 26
❽ 43 − 10 = 33
60 마무리 평가
61

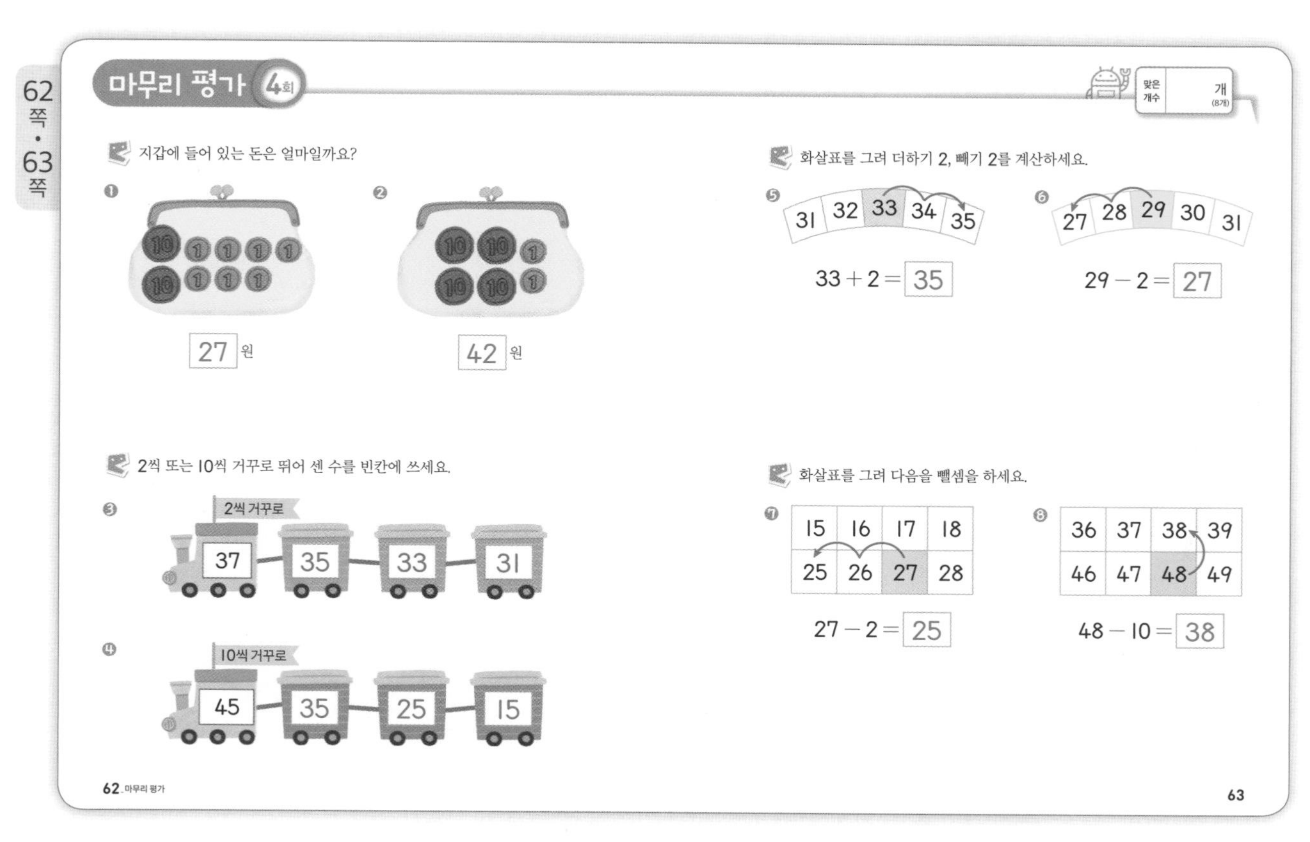

62쪽·63쪽
마무리 평가 4회
맞은 개수 개 (8개)
지갑에 들어 있는 돈은 얼마일까요?
❶ 27 원
❷ 42 원
2씩 또는 10씩 거꾸로 뛰어 센 수를 빈칸에 쓰세요.
❸ 2씩 거꾸로 37 35 33 31
❹ 10씩 거꾸로 45 35 25 15
화살표를 그려 더하기 2, 빼기 2를 계산하세요.
❺ 31 32 33 34 35
33 + 2 = 35
❻ 27 28 29 30 31
29 − 2 = 27
화살표를 그려 다음을 뺄셈을 하세요.
❼ 15 16 17 18
25 26 27 28
27 − 2 = 25
❽ 36 37 38 39
46 47 48 49
48 − 10 = 38
62 마무리 평가
63

64쪽·65쪽

마무리 평가 5회

맞은 개수 개 (10개)

수 배열표의 일부분이에요. 빈칸에 알맞은 수를 쓰세요.

❶

13	14	15
23	24	25

❷

29	30
39	40
49	50

계산에 맞는 열쇠를 찾아 ○표 하세요.

❺

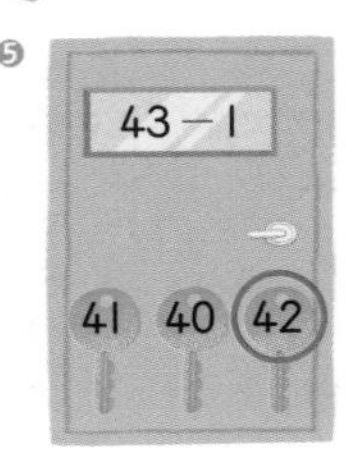

❻

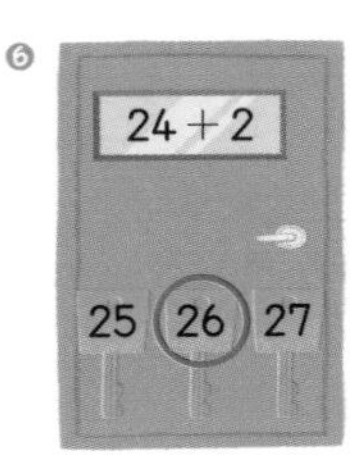

규칙을 찾아 빈칸에 알맞은 수를 쓰세요.

❸

28	30	32	34	36	38	40

❹

46	36	26	16	6

계산을 하세요.

❼ $36-2=34$

❽ $49+1=50$

❾ $17+10=27$

❿ $43-2=41$

실력 평가 → 67쪽

68쪽

칸토의 연산 7세 3권 실력 평가

❶ $13+1=14$

❷ $7+1=8$

❸ $32+1=33$

❹ $10+2=12$

❺ $28+2=30$

❻ $5+2=7$

❼ $44+2=46$

❽ $19+10=29$

❾ $31+10=41$

❿ $27+10=37$

⓫ $17-1=16$

⓬ $30-1=29$

⓭ $46-1=45$

⓮ $22-2=20$

⓯ $7-2=5$

⓰ $43-2=41$

⓱ $19-2=17$

⓲ $34-10=24$

⓳ $20-10=10$

⓴ $45-10=35$

6쪽

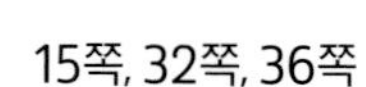
15쪽, 32쪽, 36쪽

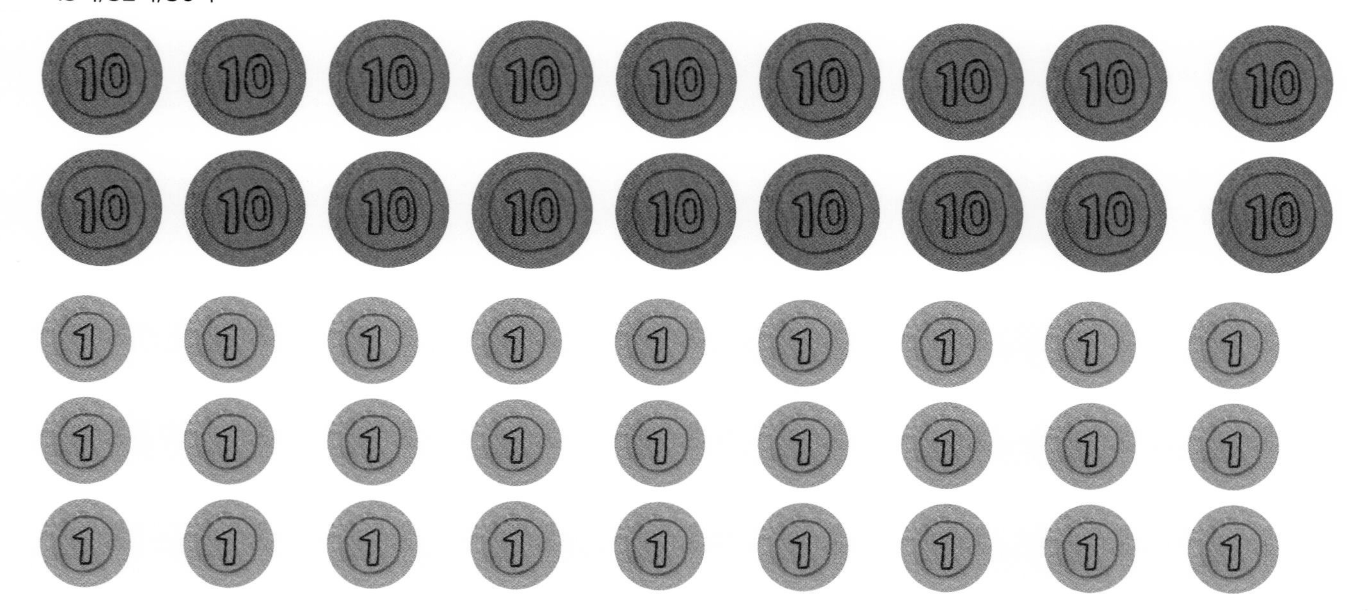

40쪽

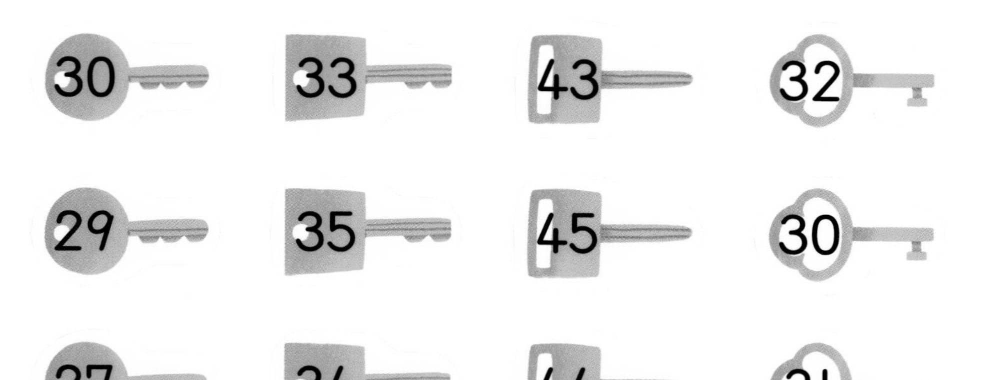